# 周易入門 150 問（上）

詹石窗 主編

# 周易入門
# 150問 上

中和出版
OPEN PAGE

中

# 出版說明

「國學」之名，始之清末。當時歐美學術進入中國，號為「新學」「西學」等，與之相對，人們便把中國固有的學問統稱為「舊學」「中學」或「國學」等。廣義上，中國古代和現代的文化和學術，包括中國古代的歷史、思想、哲學、地理、政治、經濟乃至書畫、音樂、易學、術數、醫學、星相、建築等都是國學所涉及的範疇。狹義的國學，指以先秦經典及諸子學為基礎並涵蓋後期各朝代的各類文化學術。

國學大師章太炎認為，提倡國學，「不是要人尊信孔教，只是要人愛惜我們漢種的歷史」，即其「語言文字」、「典章制度」與「人物事跡」。國學影響深遠，構成中華傳統文化的核心價值體系，對於我們處理人與人、人與社會、人與自然的關係，至今仍具有現實指導意義。

本公司計劃推出的「國學基礎」系列，精選國學領域諸名家的經典，尤其注重大眾普及，希望選出內容既精專實用，簡

明扼要，又通俗易懂，深入淺出，堪稱國學入門的必備讀本。本系列將首先出版語言學大師王力先生的《古代漢語常識》和易學名家詹石窗教授主編的《周易入門 150 問》兩種。

後續還將陸續推出其他有助於普及國學知識、弘揚傳統文化的特色之作，希望不僅可為專業的人員教授、學習國學提供參考，更為傳統文化愛好者、一般讀者了解和學習帶來方便。

香港中和出版有限公司編輯部

# 本書撰稿

主　　撰　詹石窗

各章執筆 （按姓氏音序排列）

雷　寶　李育富　李玉田　連　宇

連鎮標　曲　豐　宋野草　楊　燕

陽志輝　詹石窗　周克浩

# 凡例

一、本書乃就上課過程中遇到的問題進行探索、歸納而成，屬小讀書會的問答記錄，其中所用言辭帶有課堂教學痕跡。雖名為「入門」，恐有所失。稍作整理，公諸於世，旨在交流，以求知《易》方家指正。

二、全書 150 問。導言「六問」，暗合《坤》卦「用六」之數；每章各「九問」，暗合《乾》卦「用九」之數。16 章之問凡 144，合於「坤之策」。以「坤」為先，而「乾」隨之，戒己以明「天外有天」，取人之長，補己之短。

三、關於《周易》之「十翼」篇名，1949 年以來，學界多在每篇古名之後加一「傳」字，如《彖傳》《象傳》等等。但查《十三經注疏》，均未於篇名後加「傳」字。基於傳統，本書涉「十翼」篇名，僅作《彖》《象》《文言》《繫辭上》《繫辭下》《說卦》《序卦》《雜卦》。

四、關於《周易》六十四卦的符號使用，為了便於區別，

本書在吸納前賢成果基礎上進行統一處理：(1) 凡引用卦爻辭，則該卦名加書名號，例如《乾》卦六五爻辭、《坎》卦卦辭。(2) 凡三畫經卦（即八卦），或六畫別卦（即六十四卦），若僅作為卦爻之象介紹，不加書名號，也不加引號；有特殊強調的，則加引號，如「坎」卦、「兌」卦。

　　五、凡《周易》經傳引文，直接於行文中標明書名、卦名、篇名，例如《周易・繫辭上》、《周易・坤》之《象》等等。凡引述其他古籍，僅出書名與篇名，例如《大戴禮記・名堂》；若引書為新點校本，則注明原作者、整理點校者、書名、出版地、出版社、出版年、頁碼。

　　六、本書非一人手筆，所用文獻各自不同，同一文獻也有不同版本，理解各有差異，不求一律。

本書編寫組

2019 年 8 月

# 目 錄

# 導言

## 1. 甚麼是「易學」?

《周易》是我國一部古老典籍,堪稱中國傳統文化的源頭活水。千百年來,《周易》一直被先民們尊奉為神聖的經典。

對於「易學」的概念界定,學界有種種說法。朱伯崑在《易學哲學史》前言中說:「《周易》最初是占筮用的一部迷信的書,可是後來隨着對它的解釋,演變為一部講哲理的書。從漢朝開始,由於儒家經學的確立和發展,《周易》被儒家吸收列為儒家五經之首,人們對它的研究,成了一種專門的學問,即易學。」[1] 唐明邦認為:「所謂『易學』就是歷代學者對《周易》一書所作的種種解釋,這些千差萬別的解釋,形成了一套同中

---

1　朱伯崑:《易學哲學史》第 1 卷,北京:華夏出版社,1995 年,第 1 頁。

有異、異中有同的理論體系。」[1] 劉大鈞指出，易學以《周易》
經傳、易學史、易學與其他相關學科的關係為研究對象。[2] 鄭
萬耕說：「易學是對《周易》所作的種種解釋，並通過其解釋，
逐漸形成了一套理論體系。」[3] 這些描述，從不同角度解釋了易
學的內涵和特徵。

　　總結上述說法，我們認為，所謂「易學」乃是關於《易經》
的解釋及應用之學。從狹義上看，易學即是《周易》的解釋學。
它探討《周易》的起源、性質、內容、形式等問題。其主要方
式是通過音韻、訓詁等手段對《周易》的卦爻辭進行注解、闡
釋。從廣義上看，易學還包括《周易》基本原理應用、發揮，
《周易》體系變通一類學問，延伸至風水、命相、太乙、六壬、
奇門遁甲等術數學。

　　易學源遠流長。上古之時，先民們由於特殊際遇，發現了
一種具有特殊靈性的植物，這就是蓍草。根據《史記》等資料
的描述，蓍草長到五十條莖的時候，其根部伸展的地方就會有
烏龜棲息於下。先民們特別重視這種植物，將其摘取下來，
作為工具，力圖通過蓍草的自然分組排序，來預測一些事情。
在這個過程中，先民們漸漸有了體驗，也積累了大量知識，奠

---

1　唐明邦主編：《周易評注》，北京：中華書局，1995 年，第 7 頁。

2　劉大鈞：《百年易學研究回顧與前瞻國際學術研討會開幕辭》，《周易研究》
　　2001 年第 1 期。

3　鄭萬耕：《易學源流》，瀋陽：瀋陽出版社，1997 年，第 1 頁。

定了基礎。春秋戰國時期形成的《易傳》，在預測基礎上，加強與深化了解釋的力度，形成了象數推演與義理闡發的基本方法與體系，這標誌着易學的誕生。而後的兩千年中，以《周易》為對象的研究代代傳承、蓄力發展，經歷古易、漢易、魏晉易、唐易、宋易、清易、現代易等不同階段，形成不同流派，易學也得到不斷豐富和衍生，其範圍不斷擴大。正如《四庫全書總目》所言：「易道廣大，無所不包，旁及天文、地理、樂律、兵法、韻學、算術，以逮方外之爐火，皆可援《易》以為說，而好異者又援以為《易》，故《易》說至繁。」[1] 易學發展至今，已經形成一門具有東方獨特思維方式，集中國幾千年文明智慧於一體，以探索天道、人理、變易規律為目的的系統學術。它研究《周易》蘊藏的深刻義理及思維方式，聚焦《周易》經文內容之餘，更關注「易」在中華文明史上的巨大作用，研究它在人文社會科學、自然科學等各門類學科中的影響、滲透和作用。

## 2. 如何看待易學性質與學科歸屬？

談及易學的性質，首先我們需要釐清其研究對象 ——《周易》的本原。近代以來，在「西學東漸」的大潮中，中華傳統

---

1　[ 清 ] 永瑢、紀昀等：《四庫全書總目》上冊，北京：中華書局，1965 年，第 50 頁。

文化的諸多分支都受到極大衝擊，尤其是道教與民間神明信仰、術數學的各種法度，都被西方一些別有用心的「學者」扣上「迷信」的帽子，《周易》這部中國古老的「聖經」當然也免不了慘遭厄運，進入了要掃除的「另冊」。這些具有傳教士背景的「學者」是伴隨着洋槍洋炮進入中國大門的，他們打擊中華傳統文化，其目的就是要拔中華民族的「根」，讓中華民族變成沒有靈魂、沒有主見、任人宰割的「羔羊」。而在中國的許多學者，不明真相，也跟着搖旗吶喊，全面否定中華傳統文化，甚至有「漢字不除，中國必亡」的論調甚囂塵上。經過罹難之後，國人開始反思，漢字不僅沒有被除掉，而且正在煥發出新的生命力，用漢字記載與傳承的中華古籍也陸續被解放出來，其中也包含了《周易》這部經典。在今天，如何重新認識《周易》的性質呢？我們以為：既不可以全盤否定，也不要全盤肯定，而是以實事求是的態度來予以審視。一方面，我們要看到，這部書最初是應了占卜需要而產生的，是為預測服務的。從這個角度說，《周易》古經本來就是一部占卜的書。然而，我們承認它是一部占卜的書，卻不應該給它戴上「迷信」的帽子。所謂「迷信」指的是在癡迷狀態下盲目而不理解地相信。客觀地說，中國古人對《易經》雖景仰，卻不癡迷，而是有一套自身的理解，並遵循着一定的規則，其實是一種文化信仰。基於這種文化信仰，先民們對八卦、六十四卦以及相應的卦爻辭作出種種解說，其與先民們的生活休戚相關，體現了先

民們對宇宙天地、社會人事的認知。易學體系中有關天文曆算、占星望氣等內容可謂是我國古代天文學、地質學等學科的源頭。在易學發展過程中，隨着「十翼」的注入，其哲學性意味增加，最終建立起的是一套以陰陽為本闡釋宇宙萬物變化的理論體系。隋唐以降，易學的理性成分更多向科學領域滲透，最終形成了一套獨特的概念體系、研究方法和易學史學觀。故而易學的性質，應歸納為側重於思辨的哲學屬性。

按照現在的學科分類標準，很難將傳統易學歸入某個專門知識之中。《易》之產生，仰觀俯察、取象於鳥獸、身物，廣大悉備，包含天、地、人三才之道，囊括了人生、社會、自然各方面的知識、經驗。這樣一個結構系統反映出的是根植於華夏民族文化深層的「天人合一」的核心精神。從易學發展歷史看，易學與其他學科的發展有着明顯的互動關係。宋代易學數理派對象、數、理的討論，明代宋應星、方以智在光學方面的發展，直接促進了我國古代數學和物理學的發展。法國著名科學家貝爾納說過，易學是一門科學的科學，近年來的物理學研究成果不斷證明了易學揭示的世界觀：宇宙是一個不可分割的和諧整體。從現代科學的角度看，《周易》與現代數學、物理、化學、分子生物學、天文等學科都有着密切的關係。其中的太極思維、陰陽觀念、互補原理等對現代科學思維方法有一定的啟迪作用。易學中的陰陽五行思想，是古老的辯證法，有着豐富的內容和精緻的形式。從易學中，我們可以看出

古代中國深邃睿智的哲學世界觀和技藝文化的特質，它是中國古代湮沒了的輝煌文化的一個神秘索引。

必須指出的是，認定易學有其合理性，並不意味着應該將易學歸類於自然科學的某個學科。需要說明的是，易學思維最典型的特徵是易象思維，它在根本上是不可進行分割的。就具體操作過程來看，卦爻的讀解往往具有較明顯的主體色彩，這是易象思維所體現的一種「境界」。而自然科學的一個重要特質乃是對觀察結果的邏輯分析，需要在一系列嚴格的規則引導下進行，應具有可驗證性。從本質上來說，易學不可歸入自然科學，而更多地體現出一種哲學思辨性，應歸屬於宏觀大科學範疇。易學以《周易》為研究對象，重點從象、數、理、占四個方面解讀、探討、詮釋其各個部分的規律、義理，具有思想啟迪的特別意義。

### 3. 易學研究的主要內容有哪些？

易學研究的主要內容，首先是《易》本身。我們現在看到的《周易》，只是最早的《易》書之一。如前所述，易產生於先民們的卜筮需要，故而夏、商、周三朝均有自己的《易》書。《周禮·大卜》曰：「大卜掌三易之法，一曰《連山》，二曰《歸藏》，三曰《周易》。其經卦皆八，其別皆六十有四。」鄭玄《易贊》解釋說：《連山》以《艮》為首，象山之出，連連不絕；《歸藏》以《坤》為首，「萬物莫不藏於其中」；《周易》以《乾》為

首,「言易道周普無所不備」。可見,三《易》在結構上相似,在卦序上有較大差異。遺憾的是,除了《周易》之外,其他兩部古《易》都沒有完本。故而,目前學界的易學研究文本主要依據《周易》。鄭玄在其《易論》中認為易一名而含三義:易簡、變易、不易。而此三易,正是易學研究主體之大要。易學研究的內容,首先應是以宇宙事物存在狀態為對象,研究其如何順乎自然,又在時時變易之中保持着一種恆態。

其次,易學研究的主要內容還包括各種詮釋《周易》的著述。易學歷史淵源流長,《四庫全書總目提要》將易學分為「兩派六宗」。兩派,即象數和義理;六宗,為占卜、機祥、造化、老莊、儒理、史事。在此過程中,各類注疏可謂汗牛充棟。春秋戰國時期的重要研究成果就是《易傳》,它是先秦易學集大成之作。兩漢時期揚雄的《太玄》視「玄」為宇宙萬物的根源,運用當時的天文曆法知識,描繪了一個世界圖式。魏伯陽的《周易參同契》以《周易》原理解說煉丹的理論和方法,用月體納甲法比喻煉丹運火程序。此外,同時期還有《周易乾鑿度》《易緯稽覽圖》《易緯是類謀》等書。魏晉王弼的《周易注》以老莊的觀點來解釋《易經》的卦爻辭。唐孔穎達的《周易正義》、李鼎祚的《周易集解》是兩部融會魏晉南北朝各派易學觀點的易學典範作品。宋程頤著《伊川易傳》,創立了理學派的易學體系。朱熹的《周易本義》《易學啟蒙》,分別從義理、象數兩方面注釋《易》之體用。張載的《橫渠易說》是氣學派的代

表作。楊萬里著《誠齋易傳》，力圖將陰陽二氣說同程氏的天理說糅合起來。元代胡一桂著《周易本義附錄纂疏》《易學啟蒙翼傳》二書，胡炳文著《周易本義通釋》，胡一桂的學生董真卿著《周易會通》，這些著作都對朱熹易學進行了闡發。明蔡清著《周易蒙引》，成為明代易學「氣本論」的倡導者。明清之際王夫之先後著《周易外傳》《周易內傳》等書，完成了易學哲學「氣本論」的任務。清代惠棟著《周易述》《易漢學》《易例》《周易古義》等書，篤守漢易，淡化《周易》的哲學色彩。張惠言著《周易虞氏義》《周易虞氏消息》《虞氏易事》《虞氏易言》等書，體現了全面恢復虞氏易學的願景。焦循著《易學三書》，即《易章句》《易通釋》和《易圖略》，建立新的易學體系。近代代表著作有沈竹礽的《周易易解》、尚秉和的《周易尚氏學》、高亨的《周易古經今注》《周易大傳今注》、聞一多的《周易義證類纂》、郭沫若的《周易之製作時代》《周易時代的社會生活》、顧頡剛的《周易卦爻辭中的故事》及《易繫辭傳觀象製器的故事》、李鏡池的《周易探源》、胡樸安的《周易古史觀》、屈萬里的《周易卦爻辭中的習俗》等。這些著作都是易學的重要文獻。

　　最後，研究各種易學的變體，諸如太乙、六壬、奇門遁甲、紫微斗數、風水等。在易學研究歷程中，漢代以來，以卦氣說、爻辰說、納甲說、干支紀年將天文曆法與《周易》象數融為一體，形成了諸多易學變體。如焦贛的《焦氏易林》，還有《京房易》、邵雍的《皇極經世》以及題署邵雍作的《梅花易

數》等，均是此方面的代表作。自漢代以來，太乙、六壬、遁甲之學日趨完善。唐宋以來，又有四柱推命、堪輿、相術逐步流傳。其中，太乙統十二運卦象之術，是推算國家政治命運和氣數、歷史變化規程的術數學。這種術數因涉及政治，為歷代統治者所忌，故而在社會上流傳甚少；六壬與文王課一樣是預測人事吉凶成敗的占卜之術，主要以五行生剋關係來斷吉凶；奇門遁甲是以隱遁為理趣的一種術數，與古代天文曆法聯繫緊密、綜合性很強，被稱為中國術數之王；紫微斗數與子平推命術、星平會海一樣，同屬推命的術數，其特點是斷語明確，可推出人一生之命運；堪輿又稱風水，原為漢代五行家推測天文地理的五行氣運之術，多用於選擇墓葬、修房、卜局諸事。由於歷史原因，以《周易》為本原的各種術數法度當然是夾雜許多糟粕，存在不合時宜的因素。不過，作為易學研究的變體，術數學本身也是一定歷史時代的產物，對於民俗學、民間宗教乃至道教等文化人類學及社會歷史學科的研究而言有其特定價值，這點毋庸置疑。其中蘊含的陰陽互補、天地人三才相互對應、五行同構以及宇宙象數模型等合理內核，值得肯定。

## 4. 易學是怎樣形成與發展的？

易學的形成與發展，經歷了草創、詮釋、廣泛應用的過程。我們大致將其分為上古、中古、下古、近代四個階段。

上古易學，主要指從伏羲創八卦到公元前 221 年秦統

一六國的先秦易學。自《連山》《歸藏》《周易》「三易」先後於夏、商、周三代問世以後，易學的發展態勢呈現出兩條路徑：一是沿着宗教巫術的占筮道路發展，從《左傳》《國語》的記載中可以大略了解這種情況；二是擺脫宗教巫術束縛而向哲學發展，以《易傳》為代表。《易傳》是先秦易學集大成之作。先秦諸子百家爭鳴，作為傳統文化的軸心時代，儒家、陰陽家、道家的思想均在易學上有所反映，構成了易學的早期內容。

中古易學，指從公元前 202 年西漢創立到公元 1840 年鴉片戰爭這段時間的易學。具體來講，又可細分為如下幾個階段：

兩漢易學眾家紛起：以孟喜、京房為主的卦氣、納甲、飛伏說，開象數易學之先河，為今文易學；注重義理闡發，以費直為代表的古文易學；以嚴君平、揚雄為代表的黃老道家之易。其中，以孟、京象數派影響最大，代表了漢易主流。需要指出的是，西漢期間的《黃帝內經》是易學與具體學科結合的先例，反映了易學對具體學科的推動、指導作用。

魏晉王弼易學掃象言理，開《周易》義理派之先河。隋唐時期，孔穎達、李鼎祚是當時義理與象數的兩大代表人物，從他們身上可以看出兩派易學相互融通的傾向。

宋代易學發展達到高峰。以程頤、程顥、朱熹為代表，易學朝着義理派方向發展，展示了易學倫理化、儒學化的態勢。易學哲學中的宇宙生成論體系轉變為理本論體系。同時興起

以邵雍為代表的先天象數學派，將陳摶河圖、洛書發揚光大，《周易》日益神秘化，以致其末流同江湖術數混雜在一起。南宋李光、楊萬里着重援引歷代史實，與六十四卦、三百八十四爻的義理相互印證，成為史易派代表。

元明清易學家們在前代學者成果基礎上繼續開拓。此期易學以考據學、訓詁學為特徵，重視實據，考訂文字，在《周易》經傳文字注釋、考據、輯錄、校讎等方面作出了貢獻，但沒有形成特有的哲學體系。

下古易學，指從 1840 年清末至 1910 年辛亥革命之前的易學。此期易學的主要代表人物為尚秉和，其易學著作頗豐，如《周易古筮考》《左傳國語易象釋》《焦氏易林注》《焦氏易詁》《周易時訓卦氣圖易象考》《連山歸藏卦名卦象考》《周易尚氏學》等。其易學成就集中在易象學方面，提出「易辭從象生」的觀點，歸納出覆象、對象、互象、大象、半象之法。

近現代易學，時間上從 1911 年辛亥革命至今。此期易學代表人物頗多，包括黃壽祺、于省吾、聞一多、金景芳、張岱年、高亨、李鏡池、郭沫若、朱伯崑、潘雨廷、唐明邦、劉大鈞、曾仕強、張善文、張其成、詹石窗等。其易學發展特點表現為既探索《周易》之源，又研究歷代易學發展進程，出現新術數學派、新數理科學派、現代易學派、道家易學派等。除了遵循傳統的音韻、訓詁、考據的法度之外，當代易學最重要的特點是引入自然科學，形成了「科學易」一派，這與萊布

尼茲、玻爾等著名科學家對《周易》象數的青睞有一定關係。沈仲濤的《易卦與代數之定律》《易卦與科學》成為「科學易」的拓荒之作。薛學潛的《易與物質波量子力學》《超相對論》將易學原理歸結為易卦方陣演變定律，認為相對論、物質波、量子力學諸定律都可同易方陣定律契合。鄔恩溥、董光璧、江國梁等人的著作着重論述了《周易》對中國古代科學技術、天文、曆法、數學、物理、化學、分子生物學、天文、地震等方面的積極影響。至於道家易學，廣義上包括道教易學經典的考察與研究，其代表作有詹石窗的《易學與道教思想關係研究》《易學與道教符號揭秘》，此二書以及相關的一批探討《道藏》中易學著作的論文，開創了「道家易」研究的先河，可謂獨樹一幟。

綜上所述，我們不難看出，易學的發展是一個自然歷史過程，它隨着社會經濟的發展而發展。其根本未變，而詮釋卻發生了巨大變遷。易學作為經學，滲透到中國傳統文化的諸多領域。所謂「易道廣大，無所不包，旁及天文、地理、樂律、兵法、韻學、算術，以逮方外之爐火，皆可援《易》以為說，而好異者又援以入《易》，故《易》說愈繁」[1]。黃壽祺先生指出：「所謂門庭者，便是從師講學如何下功夫，如何讀書。再申暢其說，便是凡治某一種學問，必須求師指導一了當之途徑，使

---

1 《欽定四庫全書總目》，台北：藝文印書館，1997 年，第 63 頁。

不至迷惘眩惑，若不知要領，勞而無功也。」又曰：「原《易》道廣大，無所不包，見仁見智，非止一端。今欲辨其門庭，必須先論其源流宗派，知其源流宗派，然後知何者為本，何者為末，何者為主，何者為客，本末既析，主賓既分，而門庭斯立。」[1] 我們了解了易學發展歷史，才能更好地研究《易》學的思想內涵。

### 5. 學習與研究易學的價值何在？

首先，《易》是理解中華傳統文化的一把鑰匙。正如之前所講，《易》是華夏文明之源頭活水，是中國自然哲學與人文傳統的智慧根源。在發展過程中，易學更是與諸多學科發生了密切聯繫。某種程度上講，易學促進了整個中國傳統文化全方位、多層面的發展，對中國幾千年來的政治、經濟、文化等各個領域都產生了極其深刻的影響。故而，學習和研究易學，能幫助我們更好地理解我國傳統文化之精髓。

其次，《易》可為決策提供參考。《易》之為書，本是應預測之需而產生。在中國古代，國家大事，諸如出兵打仗、皇位繼承、祭祀典禮、婚喪嫁娶等都要由占筮最後決定。《史記》有云：「王者決定諸疑，參以卜筮，斷以蓍龜，不易之道也。

---

1　黃壽祺：《論易學之門庭》，《福建師範大學學報》1980 年第 3 期。

蠻夷氐羌雖無君臣之序，亦有決疑之卜。」[1]《左傳》記載：昭公元年，晉侯求醫於秦，秦伯使醫和視之，曰：「疾不可為也，是謂近女室，疾如蠱。」趙孟曰：「何謂蠱？」對曰：「淫溺惑亂之所生也。於文，皿蟲為蠱，穀之飛亦為蠱；在《周易》，女惑男、風落山謂之《蠱》，皆同物也。」《蠱》的下卦「巽」為長女、為風；上卦「艮」為少男、為山。根據傳統的解說，這一卦象徵長女誘惑少男，又象徵風將山木樹葉吹落的蕭瑟景象。又見《國語・晉語》載：十月，惠公卒。十二月，秦伯納公子，董因迎公於河。公問焉，曰：「吾其濟乎？」對曰：「臣筮之。」得《泰》之八，曰：「是謂天地配亨，小往大來。今濟之矣，何不濟之有！」這條資料中所謂「之八」，是古時占筮的一種規則：「之」是對應與變化的意思；「八」表示不動之爻。在古《易》中，「六」代表老陰，「九」代表老陽，「七」代表少陽，「八」代表少陰。凡是占得「九」與「六」，需變爻，即陰爻變為陽爻、陽爻變為陰爻；而占得「七」與「八」，則不變爻。「之八」就是在占卦過程中，「本卦」（現在卦）變為「之卦」（未來卦）時，陰爻沒有變化。此外，古《易》的「先天卦位」，每一卦有相應的數字為表徵：乾一、兌二、離三、震四、巽五、坎六、艮七、坤八。故而，「《泰》之八」也就是《泰》卦變為《坤》卦，上三爻因為都是陰爻，沒有變化，但整體卦象實際

---

1 《史記・龜策列傳》。

上是發生變化的。至於「小往大來」，出自《泰》卦卦辭。所謂「小往」，指的是陰爻居外卦；所謂「大來」，指的是陽爻居內卦。《泰·象》辭謂：「天地交而萬物通也，上下交而其志同也。」這條資料表明：董因替重返家園的晉國公子重耳占卦，遇《泰》卦。他先分析卦象，接着又引述卦辭判斷重耳受排擠迫害的流亡時代已經結束，鼓勵重耳及時返歸家園。除了這兩個例子，《左傳》《國語》中還有近二十個筮例，都體現了古人按照占筮決策的過程。《易》之決策參考作用由此可見一斑。時至今日，易學在預測中仍有廣泛運用，可以為人們的實際生活提供一個參照系。

再次，《易》可為修身養性提供依憑。《繫辭上》謂：「聖人以此洗心，退藏於密，吉凶與民同患。」洗心先要退藏，關鍵在「密」。「藏密洗心」也是後來理學討論的格物工夫以及修養心性的重要途徑。老子所謂「致虛極，守靜篤」即由此出。道家發揮《易》中的陰陽對應思想，提出「道法自然」「無為而治」的理念，對於人之身心修養起到積極作用。儒家則發揮《易》之中正思想，例如《易傳·乾·文言》就通過對乾卦辭「元亨利貞」的解釋，提出四德說：「體仁足以長人，嘉會足以合禮，利物足以和義，貞固足以幹事。」《文言》的解說以仁愛為諸德之首，強調既要利人利物，又要符合正義。《坤·文言》又謂「君子敬以直內，義以方外」，當修德在先。《黃帝內經》中的五行文化與陰陽文化，是易學與中醫相結合的典範，體現

了大醫醫國、醫人、醫病的精神。

最後，《易》可為社會生活提供文化價值觀：中正、變通、積善、自強、太和。《周易》六十四卦，每卦六爻，自下而上為初、二、三、四、五、上，其中二、五爻分處上下卦之中，是為「得中」。引申之，表示公平、公正，一個社會正氣、真氣流行。此所謂《易》之中正也。何謂變通？《繫辭上》云「法象莫大乎天地，變通莫大乎四時」，天地是最大的「象」，而四時更替則是最大的「變通」，人的活動的物理空間沒有超出天地，人事吉凶的變化也不會超越四時變化的規律。掌握這種時空觀，即可體味變通之神髓。《周易‧坤》之《文言》有云：「積善之家，必有餘慶；積不善之家，必有餘殃。臣弒其君，子弒其父，非一朝一夕之故，其所由來者漸矣，由辯之不早辯也。」從這段陳述可知，《周易》持善德思想，乃是傳統文化核心價值觀的重要淵源之一。積善得福的傳統，延續至今。至於自強精神，乃源自《周易‧乾》之《象》：「天行健，君子以自強不息。」此處之自強，有三個層面的含義：體魄、能力、德行。孔子教育科目中有「六藝」，其中騎射乃是關乎體魄強健之要，可見體魄的自強很早就為古人所重視。能力和德行方面的自強自不必說，也是從古至今不斷強調的。最後是太和的價值觀。《周易‧乾》之《象》云：「乾道變化，各正性命，保合太和，乃利貞。」而老子《道德經》有「沖氣以為和」之說法。和為貴的思想，貫穿於中國人的日常行為當中。當下我們倡導的

「和諧」價值觀，正是對《易》之太和思想的最好詮釋。

### 6. 如何學習易學？

　　首先，了解掌握有關易學的基本知識，包括基本概念、卜筮之法、閱讀古文的要領等。基本概念如太極、爻、陰陽、三才、四象、五行、八卦、六十四卦、三百八十四爻、十天干和十二地支等。只有熟悉這些易學專用範疇，才能在之後的學習中更好地理解《易》的根本原理及主要旨歸。所謂「未學易，先學筮」，易學之初，以卜筮為要。故而，對占卜之各類應用，如六爻、梅花易數等應有所了解，這樣才能更好地理解太極陰陽之學、五行生剋之道、「天人合一」之論以及宇宙全息之理等。此外，需要強調的是，研習易學，應有過硬的古文閱讀能力，掌握閱讀古文的要領。《周易》經傳本身成書於春秋戰國之時，其文字晦澀難懂，而之後的易學著作也多由歷代古文寫就，因此古文功底是學易的基礎。除上述三要點之外，習《易》還應注意學習過程中的儒釋道互參共修，循序漸進。

　　其次，選擇一個好的讀本。《周易》的編次在古代就相對混亂，各種版本的編次存在很大差別。戰國楚簡《周易》是目前我們可見到的最早版本的《易》書。還有馬王堆出土的帛書《周易》。《周易》通行本出自漢代費氏古文本。目前通行的編次是阮元所刻《十三經注疏》中的《周易正義》和朱熹的《周易本義》。此兩版均屬於經傳混合，將傳中的注釋放在經中的對

應之處。另有宋代呂祖謙等人採取經傳分離的編次。發展至今，各種解說《易經》的書更是多如牛毛。讀書不當會誤入歧途，所以在選擇何種版本的問題上應當慎重。黃壽祺、金景芳、高亨等人的易著可供參考。

　　總而言之，易學研究應具有系統的、綜合的、聯繫的科學觀點，注意義理與象數相結合、易學理論研究與實踐應用相結合，以易經為核心，以易傳為基礎，適度吸收現代科學觀念，深刻體會《易》之宇宙觀、哲學思想與道德內涵。

上　編

# 易學基礎

在中國古代，《周易》被尊為「五經」之首。孔子對該書非常推崇，曾說：「加我數年，五十以學《易》，可以無大過矣。」將其奉為修身處世的典範讀物。後來在傳播過程中，該書又廣泛影響於釋、道二家，因此被世人稱為「群經之首」。從十七世紀始，《周易》被介紹到西方，其所包含的二進制模式直接啟迪了現代計算機的發明。可以說，《周易》所構建的基本理念和智慧，不僅影響了中國人數千年的思維，還影響着世界人的思維；不僅影響了古代人的思維，還影響着現代人的思維。《周易》就像一個可以無限取用的聚寶盆，被古今中外的人用各種各樣的方法、從各種各樣的角度進行解讀，無論是誰，好像都能從中得到自己想要的東西。然而，《周易》更像是一個大大的問號，雖然被讀了幾千年，仍然有許多未解之謎，等待大家去發掘，比如：《周易》的書名是甚麼意思？它的作者又是誰？它的基本內容如何？古人寫這樣一本書是做甚麼用的？如此等等，而這些也是這本《周易》入門書首先要向大家介紹的內容。

# 第一章 《周易》名實引說

## 第一節 《周易》名義與作者

### 7.《周易》之「周」是甚麼意思？

關於《周易》之「周」的解釋，一般來說有兩種。第一種是漢代著名經學大家鄭玄的解釋，他說：「《周易》者，言易道周普，無所不備。」[1] 認為「周」意為「完備」，指「易道」廣大，無所不包，無所不能。

對於鄭玄之說，唐代的孔穎達提出了異議，這也是關於「周易」之「周」的第二種解釋：

> 鄭玄雖有此釋，更無所據之文。先儒因此遂為文質

---

[1] 《十三經注疏》整理委員會整理，李學勤主編：《十三經注疏‧周易正義》，北京：北京大學出版社，1999 年，第 8 頁。

之義，皆煩而無用，今所不取。案《世譜》等群書，神農一曰連山氏，亦曰列山氏，黃帝一曰歸藏氏。既連山、歸藏並是代號，則《周易》稱周，取岐陽地名。《毛詩》云「周原膴膴」是也。又文王作《易》之時，正在羑里，周德未興，猶是殷世也，故題周，別於殷。以此文王所演，故謂之《周易》，其猶《周書》《周禮》，題「周」以別餘代。故《易緯》云「因代以題周」是也。[1]

在這段話中，孔穎達首先指出鄭玄的說法沒有根據，因此，後人據鄭玄之說來解釋《周易》之「周」也是不妥當的。接着，孔氏根據《世譜》等書的記載，從「連山」和「歸藏」分別為神農氏和黃帝的名號出發，認為與其並列的《周易》之「周」也應該遵循同樣的邏輯分類規則，所以「周」應該指的是周朝發源之地，也就是岐陽的周原，加上文王作《易》也是在周地，所以，《周易》之「周」應該是代指「周朝」的意思。

　　孔穎達的說法有理有據，鄭玄的說法有理無據，後人乾脆把這兩個結合在一起，於是，《周易》之「周」就有了兩個意思，既指其時為周代，又兼周備完全的內涵。

---

1　《十三經注疏》整理委員會整理，李學勤主編：《十三經注疏·周易正義》，北京：北京大學出版社，1999 年，第 8 頁。

## 8.《周易》之「易」有甚麼深刻含義？

在現代漢語中，如果我們用「易」來組詞的話，經常想到的可能就是「容易」「簡易」和「變易」了。在這裡，「易」主要有兩個意思，就是「變化」和「簡單」。那麼，《周易》的「易」是不是也有這樣的意思呢？這是一個一直以來大家都很感興趣的問題，歷史上也對此進行了很多的討論。大致說來，主要有以下幾種觀點：

第一種觀點認為，「易」字是一個象形文字，畫的是蜥蜴的樣子，本意是蜥蜴，但從蜥蜴這一本意可以引出「變化」這一內涵。《說文解字》曰：「易，蜥蜴、蝘蜓、守宮也。象形。」南宋洪邁說：「易者……守宮是矣……即蜥蜴……身色無恆，日十二變，是則易者取其變也。」[1] 二者都認為「易」本指「蜥蜴」。

第二種觀點認為，「易」指的是「道理」。在甲骨文中，「易」為左右結構：少，右邊為「日」，左邊是一面迎風招展的旗子。遠古時候的旗子與戰爭和王權密切相關，陽光下旌旗招展的畫面，暗示的是一個部落的領地、秩序、威嚴。由這樣一種意象，引申出《周易》的「易」指的是與國家治理方方面面都緊密相關的根本道理。《四庫全書總目·易類》綜述中說：「聖人

---

1 [明] 張次仲：《周易玩辭困學記》，《四庫全書》第 36 冊，台北：商務印書館，1986 年影印，第 403 頁。

覺世牖民，大抵因事以寓教……《易》之為書，推天道以明人事者也。」[1] 所謂「推天道」「明人事」，可以說就是國家治理的大道。

第三種觀點認為，「易」字下方的「勿」字標識的是「月」。在甲骨文中「勿」和「月」字確實非常相似。把下半部分看作「月」時，則「易」字為「日」「月」合體，其意極其鮮明，日月交替，兼含陰陽相推和時空流轉的意蘊。這種觀點也是大部分人樂意認可的，因為《周易》的內容，從根本上講確實與陰陽相推和時空流轉的關係非常密切。《周易·繫辭上》說：「易者，象也。」肯定了「易」以圖像說意的本質。《易緯乾鑿度》說：「易名有四義，本日月相銜。」也以「日月相推」為「易」的本義。《莊子》說：「《易》以道陰陽。」[2] 《說文解字》引緯書的解釋說：「日月為易，象陰陽也。」認為「易」的圖像描述為日月，它們所表示的意象為陰陽。

延續「易」為日月，為陰陽，為變化等基本觀點，學者又對《周易》之「易」的含義作了進一步的引申、歸類和總結。其中最有代表性的為漢大儒鄭玄的觀點。鄭玄在《易贊》《易論》中說：「易之為名也，一言而含三義。易簡，一也；變易，

---

1 ［清］永瑢、紀昀等：《四庫全書總目》上冊，北京：中華書局，1965 年，第 1 頁。

2 ［清］郭慶藩撰，王孝魚點校：《莊子集釋》第 4 冊，北京：中華書局，1961 年，第 1067 頁。

二也；不易，三也。」[1]「易」有三義的說法影響很大，成為後人對《周易》之「易」內涵的基本理解。那麼何謂「易簡」，何謂「變易」，又何謂「不易」呢？

鄭玄同書對此進行了解讀：

> 《繫辭》云：「乾坤其易之縕邪。」又曰：「易之門戶邪。」又曰：「夫乾，確然示人易矣；夫坤，隤然示人簡矣。易則易知，簡則易從。」此言其易簡之法則也。又曰：「為道也屢遷，變動不居，周流六虛，上下無常，剛柔相易，不可為典要，唯變所適。」此言順時變易，出入移動者也。又云：「天尊地卑，乾坤定矣。卑高以陳，貴賤位矣。動靜有常，剛柔斷矣。」此言其張設佈列，不易者也。據茲三義而說易之道廣矣，大矣。[2]

鄭氏藉《易・繫辭》自身來解讀「易簡」「變易」「不易」。「易簡」者，大道易知易行也；「變易」者，大道發用無時不變也；「不易」者，萬物紛紜，變動不居，唯大道永恆，不易不移也。

從現代學科的觀點來看，乾坤之道代表「易簡」，指宇宙萬物之始理。萬物紛紜，萬理具備，但萬物都遵循着一個最基

---

1　[宋] 王應麟纂輯：《周易鄭康成注》，《四部叢刊・經部》，上海涵芬樓影印元刊本。

2　同上。

本的原則，即就易、就簡原則。我們可以觀察一下周圍所有的自然事物，無一不遵從這一原則。所有的生命體天然都能夠尋找到最近的路，用最少的力獲取生存的必需品。無論是人還是動物，肢體運動都是最符合力學省力原則的。即便是植物，根在汲取營養時也總走近路，葉在捕獲陽光和空氣時也從不浪費一絲一毫能量。所以終極之理其實是最容易了解，也最容易遵從的，此即為「易簡」。

後世萬物紛紜，人類以自我之聰明思考宇宙之行，看到的都是花花綠綠的色相，反而不容易看到事物的本質，所以生活變得越來越複雜，人也過得越來越痛苦。之所以會出現這種情況，都是因為「易」的「用」不停變化，無一刻停息，無一時一地相同，此即「為道屢遷，變動不居」，所以「易」者，「變易」也。可是，萬物雖不停變化，實際上其本質並沒有變。就像《繫辭》說的「天尊地卑」「動靜有常」，這些大綱大領，或者說宇宙萬物背後終極的那個「道」是始終不變的，這個就是「不易」了。

因此，要想真正了解「易」，就必須先了解「易」的這三層意思，以此為讀《易》的基本綱領，將其與現世人事相結合，才能夠慢慢理解《易》之一二。

### 9.《周易》作者是誰？是怎樣編纂的？

《周易》是這樣一本神奇的書，它是誰寫的呢？在歷史的

長河中，它又有怎樣的歷程呢？

　　最早也是最權威的關於《周易》作者的說法，可能出自《周易・繫辭》。說到這兒，我們要先考察一下《易經》與《周易》，以及《易經》與《易傳》的問題。

　　據傳《易經》曾經有三種，即《連山》《歸藏》和《周易》，一般稱為「三易」。三本書分別流傳於夏、商、周三個朝代。《連山》為夏代所傳，以《艮》卦為第一卦，因為《艮》卦的卦象是兩座山峰相疊，所以稱為《連山》，也有說這個名字是取象白雲出於山中，連綿而不絕的形態。《歸藏》據說是殷商所傳，以《坤》卦為第一卦，鄭玄在《周禮注疏・春官宗伯・太卜》中解釋道：「《歸藏》者，萬物莫不歸而藏於其中。」[1]「坤」為地，在古人的眼中，萬物莫不從地中而生，又莫不歸於泥土，坤為萬物歸藏之所，因此，以《坤》卦為第一卦的《易經》就稱為《歸藏》。土為生命之始與生命之最終歸屬的觀念在很多民族神話中都有遺存，比如我國女媧造人的故事裡，女媧所用的材料就是「黏土」；而在西方文化中，《聖經》也說：「你本是塵土，還要歸於塵土。」英文「clay」既有「黏土」的意思，也指人體、肉體。東西方文化關於土地與生命，特別是與人身發源之間聯繫的觀念的共通性，讓人頗感神奇。

---

1　《十三經注疏》整理委員會整理，李學勤主編：《十三經注疏・周禮注疏》，北京：北京大學出版社，1999年，第637頁。

　　《連山》和《歸藏》很早就失存了，最早記載這兩本書的是《周禮》，《周禮・春官宗伯》篇這樣說道：「（太卜）掌三易之法：一曰《連山》，二曰《歸藏》，三曰《周易》，其經卦皆八，其別皆六十有四。」從這一記載中可知三種《易》都有八經卦、六十四別卦，別的就不清楚了。但這一記載似乎也可以解釋為《連山》《歸藏》《周易》是三種不同的占卜方法，所以也有人懷疑《連山》《歸藏》根本不是兩本獨立的經書。

　　另外，在《禮記・禮運》篇中記載了孔子的一段話：「我欲觀殷道，是故之宋，而不足徵也。吾得《坤乾》焉。《坤乾》之義……吾以是觀之。」[1] 這是孔子在回答學生言偃時說的一段話。他說因為想了解殷商時的文化制度，就去了宋國。周朝滅了殷商以後，就把殷商的一部分後人分封到了宋這個地方，孔子的先祖就是宋國人，孔子說自己是「殷人」，就是這個原因。宋這個地方因為是殷人後裔的領地，按道理講應該比較好地保留了殷商文化，可是，孔子進行了實地調研以後顯然很失望，他沒得到甚麼特別有價值的東西。不過慶幸的是，在對宋國的考察中，孔子得到了一本名為《坤乾》的書，他覺得這很不錯，從這本書裡，他可以大概了解殷商的歷史。

　　從這段記錄來看，《坤乾》是記載了殷商文化的書籍。以「坤乾」為名，可能跟陰陽八卦有關。不說「乾坤」，而說「坤

---

1　楊天宇：《禮記譯注》上冊，上海：上海古籍出版社，2004 年，第 267 頁。

乾」，應該不是簡單地顛倒了。而「坤乾」跟「歸藏」從讀音上看，乃一音之轉。在河南、陝西一帶方言中，其發音非常類似。於是，有人懷疑《坤乾》就是《歸藏》。當然，《坤乾》以《坤》起首的順序，也跟傳說中《歸藏》的八卦排列一致，而且又是殷商遺書，這不由得更讓人覺得孔子所說的這本包含了殷商舊制的書就是《歸藏》。所以，《歸藏》可能在春秋時還有流傳。不過問題是《禮記》這本書本身的真偽就很值得商榷，它的記載也就更讓人不能確定了。

漢代還有些學者也說自己見到了《連山》和《歸藏》這兩本書，如東漢學者桓譚就說「《易》一日《連山》，二日《歸藏》，三日《周易》。《連山》八萬言，《歸藏》四千三百言。夏《易》煩而殷《易》簡，《連山》藏於蘭台，《歸藏》藏於太卜」[1]。蘭台為漢代宮內藏書處，相當於現在的國家圖書館，當時歸御史中丞掌管。太卜為漢代太常諸署之一，主管國家大事的卜筮。從桓譚的記述來看，似乎他見過二書，《連山》文字比《歸藏》多得多，而從收藏它們的地方來看，《連山》像是某些長篇大論的理論著述，《歸藏》則更像是言簡意賅的占卜方法彙編。不過，也有人認為他看到的並不是真正的《連山》《歸藏》，因為《漢書‧藝文志》並沒有對二書的具體情況進行記載，這似乎

---

1 ［漢］桓譚撰，朱謙之校輯：《新輯本桓譚新論》，北京：中華書局，2009年，第38頁。

與二書藏於當時的「國家圖書館」的實情不合。桓譚看到的到底是不是這兩本書，因為史料欠缺，我們目前沒有辦法作出肯定或者否定的判斷。總之，從多種史料來看，至遲到漢代，《連山》和《歸藏》應該就已經少有人看見了。

因為《連山》《歸藏》二書的存留情況非常模糊，實際的歷史影響很小，所以，我國歷史上一直流傳的《易經》，其實就是我們今天仍能看到並常說起的《周易》。

因此，我們在談《易經》的作者時，其實談的就是我們今天仍能看到的這本《周易》的作者。關於這個問題，說法也有很多，因為今天我們看到的《周易》，實際上由兩部分構成，即《易經》和《易傳》。《易經》來自上古，是《易》的主體部分；《易傳》是對《易經》的解釋，相傳為孔子所作。

關於《易經》部分的作者，最早的也是最權威的說法，應該說是《易傳》的記載。《周易‧繫辭下》曰：「古者包犧氏之王天下也，仰則觀象於天，俯則觀法於地，觀鳥獸之文，與地之宜，近取諸身，遠取諸物，於是始作八卦，以通神明之德，以類萬物之情。」[1] 從這段話來看，《繫辭》的作者將包犧氏看作《周易》作者第一人；同時，《易傳》還分析了包犧氏製作八卦的過程和目的。

---

1　黃壽祺、張善文：《周易譯注》，上海：上海古籍出版社，2004 年，第 533 頁。

《易傳》的影響無疑是巨大的，後來在《漢書‧藝文志》中，關於《易》的形成與作者這樣論述道：

> 《易》曰：「宓戲氏仰觀象於天，俯觀法於地，觀鳥獸之文，與地之宜，近取諸身，遠取諸物，於是始作八卦，以通神明之德，以類萬物之情。」至於殷、周之際，紂在上位，逆天暴物，文王以諸侯順命而行道，天人之占可得而效，於是重《易》六爻，作上下篇。孔氏為之《彖》《象》《繫辭》《文言》《序卦》之屬十篇。故曰《易》道深矣，人更三聖，世歷三古。[1]

包犧氏、伏羲氏和宓戲氏指的都是我們熟知的伏羲。按照《漢書》這段話的論述，《周易》一書的形成經歷了三個時代，分別由伏羲、文王、孔子依次敷衍而成。首先是伏羲畫八卦，然後是文王重六爻，作上下篇，這樣就形成了《周易》「經」的部分；接着孔子演《十翼》，也就是今天《周易》書中的《彖》《象》《繫辭》《文言》《序卦》等內容，因為總共有十篇，用來補充羽翼《周易》，所以又被稱為《十翼》，也就是《易傳》的部分。兩部分合在一起，即為我們今天看到的《周易》。

---

1　[漢]班固撰，[唐]顏師古注：《漢書》卷三十，北京：中華書局，1962年，第6冊第1704頁。

班固的這一說法雖然缺乏具體考證，在某種程度上帶有傳說的性質，但對後世的影響卻很大。以後，人們又進一步認定文王重卦，周公作卦爻辭，這樣仍是「世歷三古」，但作者已是「四聖」了，於是就又有了「四聖作《易》」的說法，但習慣上仍多稱《易》書為「三聖」所作，也就是伏羲、文王和孔子。

## 第二節　《周易》構成與卦序

前文我們大概介紹了《周易》的題名、作者以及形成等問題，其中也涉及《周易》的內容、構成等，不過講解得非常粗略，本節我們將着重介紹這方面的知識。

### 10.《周易》是由哪些部分構成的？

從大的方面來說，《周易》由兩大部分構成，就是我們前文說到的《易經》和《易傳》。進一步細論，《易經》由卦象和解釋卦象的文字組成；《易傳》則由《彖》(上下)、《象》(上下)、《文言》、《繫辭》(上下)、《說卦》、《序卦》以及《雜卦》組成，因為一共有十篇，所以《易傳》又稱作《十翼》。

我們先來看「經」的部分。這部分的卦象共有六十四個，就是我們常說的六十四卦，每卦有六畫，由陽爻「—」和陰爻「--」兩種符號排列組合而成。這六十四卦又稱作「別卦」，易卦另外還有一種叫「經卦」，即我們常說的「八卦」，是三畫卦，

也是由陽爻和陰爻組成。八個三畫卦兩兩重合構成六十四個六畫卦。三畫卦是基礎，所以稱為「經卦」；六畫卦是後出，所以稱為「別卦」。相傳三畫卦是伏羲所作，六畫卦則是文王「重卦」的結果。卦象是《易經》的符號系統。

　　除了卦象外，「經」的部分還有一些解釋卦象的文字，即卦辭和爻辭，它們是《易經》的文字系統，用來配合卦象闡明象旨，具體來說就是表示每一卦每一爻所占問的事情的吉、凶、否、泰，可行、不可行等情況。卦、爻辭也有兩大類。一類是「占辭」，直截了當地斷定吉凶。如《乾》卦的卦辭「元亨利貞」，意為非常吉利。另一類是敘述性文辭，是對所要占卜的事情的描述和回答。如《比》卦的卦辭曰：「吉。原筮，元永貞，無咎。不寧方來，後夫凶。」這裡「吉」「元永貞」「無咎」都屬於直截了當斷定吉凶的「占辭」，「不寧方來，後夫凶」則為敘述性文辭，是對早期某次占卜事件情況的記載。

　　《周易》「經」部分的卦象和文辭互相配合，組成一個完整的體系。這一體系按照事物的發展、變化規律進行了精細的排列。每一卦都代表一個獨立的事物，六爻互動，反映了個別事物的發展、變化規律。同時，六十四卦又合成一個整體，象徵着全宇宙事物運行的大道。《周易》六十四卦以《乾》《坤》為起首二卦，象徵天、地，男、女，父、母，餘六十二卦為萬物、子女。第三卦為《屯》卦，象徵事物萌芽，初生而多艱；繼之以《蒙》，象徵事物已生，尚在幼年，所謂物稚童蒙……

如此步步推進，直到《泰》極而《否》，又到《革》故《鼎》新，終於《既濟》《未濟》，圓滿的一個輪迴後又一個新的開始……六十四卦的這一排列反映了我國古人對世界的深刻認識和高妙哲思。

《易傳》的部分，也就是常說的《十翼》，顧名思義，所謂「翼」者，羽翼輔助也。它是解讀《周易》經文最早也最權威的文辭。

《彖》有上、下兩篇，隨上、下經而分，共六十四節，分別解釋六十四卦的卦名、卦辭、一卦主旨。「彖」的意思是「斷」，即「斷定一卦之義」。在《周易》中我們看到「彖曰」字樣，其後的文字即為「彖傳」。如《乾》卦之《彖》：「大哉乾元！萬物資始，乃統天。雲行雨施，品物流行。大明終始，六位時成，時乘六龍以御天。乾道變化，各正性命，保合太和，乃利貞。首出庶物，萬國咸寧。」對《乾》卦全卦的主旨進行了解讀。

《象》與《彖》一樣，隨上、下經分為兩篇，是解釋各卦的卦象以及爻象的文辭。其中解釋卦象的叫《大象》，共六十四則；解釋爻象的叫《小象》，共三百八十六則。之所以有三百八十六則是因為《乾》《坤》二卦的「用九」「用六」文辭也分別有一則《小象》，所以是三百八十六則。

《文言》共兩則。「文」者，紋也，文飾之辭也，乃分別解釋《乾》《坤》二卦意旨，所以也叫《乾文言》和《坤文言》。

《繫辭》上、下兩篇，是《周易》的總論性文字，不僅解釋

了《周易》經文筮法的功能、性質，同時還對《周易》經文的大義、《周易》的作者、成書年代等問題作了全面論述，是了解《周易》經文的綱領性文辭。

《說卦》解釋了《周易》一書的性質、寫作目的以及占筮體例，對八卦的取象特點、最基本的象例等問題進行了解讀，是後世解讀《周易》經文卦象象徵意指的重要依據。

《序卦》是解釋六十四卦的排列順序和結構的，對各卦之間的承繼關係進行了哲學解讀。《雜卦》則打破了六十四卦的排列順序，將六十四卦分為三十二組，兩兩對舉，對每一卦的卦義進行了高度概括性解讀。

《易傳》部分原與《周易》經文分排，後世為方便學習，將《彖》《象》《文言》分別附於對應的卦、爻之後，《繫辭》《說卦》《序卦》《雜卦》部分附於文後。宋朱熹提出應分列之，並作《周易本義》分列經文和傳文。但其後的易類書籍，一般仍然將二者依前例合排，我們今天看到的《周易》，一般也是合排的。

## 11.《周易》的符號系統與文字系統存在甚麼關係？

《周易》的符號系統即卦象的部分，包括陰陽爻，由陰陽爻組成的八經卦、六十四別卦，以及先、後天八卦圖，太極圖和河圖洛書。文字系統從狹義來說指各卦的卦名，解讀各卦的卦辭、各爻的爻辭和最早解讀《周易》經文的《易傳》；從廣義來看，還應該包括後人不斷對《周易》符號及狹義的文字系統

進行的各種解讀。

從本質的意義上看，文字也是一種符號，只不過對於後人來說，文字所代表的意義更加明晰。而《周易》的符號系統，準確地說是一種圖形符號，與文字系統相比較，其背後的意涵，因為時光流逝、歷史變遷等原因，顯得更加隱晦。所以，《周易》的文字系統對於符號系統最重要的意義，也是它們之間最重要的關係，就是解讀與被解讀。

《周易》的符號系統與文字系統之間這種被解讀與解讀的關係，同時也規定了二者之間的另一種關係，即源與流的關係。《周易》的符號系統一經在歷史上確定，無論是陰陽爻，還是先、後天圖，抑或河圖洛書，都再無更改變化，成為《周易》系統中最神秘、最穩定的存在。但作為其解讀的文字系統，除了最早的解讀文字，也是《周易》文字系統中狹義的部分 —— 卦爻辭、易傳等保持相對的穩定外，其他解讀可以說層出不窮、綿延不絕。但萬變不離其宗，所有這些解讀，無一不從《周易》的符號系統出發，也無一能拋棄和遠離《周易》的符號系統。因此，從這個意義上說，《周易》的符號系統才是《周易》之根本，是源，而《周易》的文字系統是分支，是流。

然而，基於其神秘難解、隱晦不明等特徵，所有對《周易》的符號系統的理解又無一不依賴於《周易》的文字系統來彰顯，因此，若說《周易》的符號系統是一座寶山，則其文字系統，無論是狹義上的，還是廣義上的，都可以看作進入寶山的

門徑。所以,對《周易》的學習,無論是文字系統還是符號系統,都不可偏廢,務必先由文字而解符號,最後融會貫通,方能知《易》之本、《易》之真。

## 12. 如何看待《周易》經文和傳文的關係?

《周易》經文與傳文的所指,我們前面已經談過了,此處不再贅述。關於二者的關係,我們主要從歷史形成、流傳和影響來討論。

從歷史形成來看,《周易》經文要早於傳文。在中國傳統學術中,「經」地位崇高。古代寫書不便,再加上長期的歷史發展中很多文字湮沒,因此,流傳下來的典籍雖然非常精彩,但也非常簡略。所謂「物以稀為貴」,這些包含着至上大道,為後人尊崇的文字,就被稱為「經」。「經」者,經綸天地之大法也。所謂「傳」,其音為「zhuàn」,其意卻還包含「chuán」。「經」文字簡略,未免意義難明,學者在學習的過程中,要傳播繼承前人大法,則必賴老師講解、後人記述,這些由老師講解、後人記述的文字,是對「經」的解讀,也是「經」義得以流傳的必需條件,刊刻成書籍,就稱為「傳」。《周易》經文與傳文的意義也是從這一學術意義上講的。顯然,《周易》傳文部分的寫作要晚於經文部分,是對經文的解讀。因為這部分傳文在所有對《周易》經文的解讀中屬於最古老的,後人把它跟經文一起刊行,合稱為「經」,但其「傳」的實質不變。

　　《周易》經文和傳文形成年代不同，是經多人之手創作而成的，其思想內涵肯定會有所差異。但是傳文作為目前存世最早的論《易》文字，無疑是解讀《周易》經文最重要的依據。二者之間有區別，但聯繫更重要。在易學史上，前人也正是在尊重《周易》傳文的基礎上，對經文內涵進行解讀和發展的。

　　《周易》傳文除了是解讀經文最權威的參考文獻外，它的出現以及對後世的重大影響，還直接左右了《周易》一書的流傳形式和主要功能。

　　古本《周易》經傳分開，傳文附於經文後而傳世。漢末，鄭玄傳予費直易學，費氏作《易注》，將《周易》傳文的《彖》《象》部分割裂，分別附於對應的卦、爻之後，但《易傳》的其他部分仍然單獨附於《易經》之後。魏晉時王弼注《周易》，又將《易傳》中的《文言》部分也分附於《乾》《坤》二卦之後，《易傳》的其他部分仍單獨附於經文後。這也奠定了《周易》今天的主要面貌，即經、傳文混排的情況。

　　經、傳文混排，其主要目的，應該是為了方便學者對《周易》經文的理解。但也應該看到，這種混排的形式，客觀上限制了學者對《周易》經文的理解。從學術的角度看，《周易》傳文更富有哲學思考的意蘊，其中的神秘性因素與經文相比，已削弱了不少。在讀經文的同時閱讀傳文，則傳文的思想容易先入為主。這一情況既有利於學者學習《周易》，又不利於學者發揮自己的哲思，以自我純粹之心來體悟《周易》經文之本

義。也正是因為這個原因，後世大儒朱熹曾作《周易本義》，分經、傳文，以古本《周易》面目啟蒙學者。不過，後來的學者極少再以這樣的方式注《周易》。《周易》傳文之歷史影響特大，除了其自身思想深刻、行文極其玄妙精彩的原因外，經傳合排的傳播方式也是一不可忽視的重要因素。

《周易》傳文在歷史上極為光彩奪目，與經文不相上下甚至有過之而無不及的現象，在一定程度上影響了《周易》一書的性質和功能。蓋《周易》經文之作，其始無非古人通過占卜之法以趨利避害，是一本占卜書，而其後傳文異彩流芳的事實，使得學者多遵循傳文的思想來解讀經文的大意，這樣一來，《周易》一書的占卜意味日趨淡薄，而哲思之興時時盛起，終至於一經而多途，可占、可思，可理性、可神秘。這種情況，為《周易》之不幸，亦為《周易》之幸。經文或者因此而被曲解，然《周易》一書的大道也由此而被豐富擴充。

## 第三節 《周易》性質與功能

《周易》一書，儒、釋、道三家競相推崇，民間與高層無不喜愛，無論修身還是治家，大事還是小情，高雅還是庸俗，似乎都可以從中尋到自己的所需。在中國的歷史上，《周易》可謂是一本萬能書。那麼，它的性質到底可不可以確定？如果可以的話，它是一本甚麼性質的書呢？它的基本功能又有哪些？

### 13. 歷史上關於《周易》性質有哪些說法？

關於《周易》一書的性質，歷史上的說法主要有三種。第一種主張《周易》是占筮書，第二種主張《周易》為哲學書，第三種主張《周易》乃歷史書。

《四庫全書總目・易類》曰：「聖人覺世牖民，大抵因事以寓教……而《易》則寓於卜筮……《左傳》所記諸占，蓋猶太卜之遺法。漢儒言象數，去古未遠也。一變而為京焦，入於機祥；再變而為陳邵，務窮造化，《易》遂不切於民用。王弼盡黜象數，說以老莊；一變而胡瑗、程子，始闡明儒理；再變而李光、楊萬里，又參證史事。《易》遂日啟其論端，此兩派六宗……」[1]這段話初看是在分析易學流派，即大家常說的兩派六宗，實際上涉及的是《易》書的性質問題。易學兩大派，即象數派和義理派。象數派是將《周易》的本質看作卜筮之書，以卜筮為立足點解讀《周易》。這一派直到魏晉都非常興盛，包括先秦的占卜宗，漢代焦贛、京房師徒為代表的機祥宗，宋代陳摶、邵雍為代表的造化宗。

義理派則將《周易》看作說理之書。這一派的興盛從魏晉時的王弼開始。所謂物極必反，魏晉時象數派到達頂峰，亦同時進入「七月流火」，轉於微寒，以王弼引老莊說《易》，提

---

1　[清]永瑢、紀昀等：《四庫全書總目》上冊，北京：中華書局，1965年，第1頁。

倡「得意忘言」始，至北宋胡瑗、二程變為以儒理說《易》，後隨着胡、程後學朱熹學術的極大倡發，以儒理說《易》在此後的中國歷史上佔據了絕對優勢。這是將《易》作為哲理書來對待的。

義理派中的一宗 —— 宋代的李光、楊萬里，在以哲思看待《易》書之外，引歷史以證《易》，將《易》看作史書。

這就是歷史上對《周易》性質的大致看法。從根源上講，《周易》是一本占卜的書，但後世因為對《周易》經文傳文的關注，學脈流轉，對待《周易》的態度愈加活泛。《周易》的性質越來越顯得複雜、多重了。到了今天，除了依然存在着以卜筮、哲學、歷史定位《周易》性質的觀點外，還出現了從法律、宗教、婚姻、科學等角度定位《周易》性質的新看法，可見，對《周易》的學習、研究還大有空間、大有作為。

## 14. 為甚麼說《周易》本是占筮之書？

說《周易》是一本占筮的書，我們從文字學、歷史文獻學的角度都可以找到證據。

《周易》全書圍繞的中心就是一個「卦」字。「卦」是一個會意字，從圭從卜。「圭」字本意為用泥做土柱來測日影，因此，「圭」又有「度」的意思，所謂「圭旨」是也。「圭」為雙土，是為陰，所測者日也，是為陽，因此，「圭」又有陰陽之意，與「易」日月之意相合。「卜」為象形文字，所象者乃灸龜之形。

古人以火炙龜殼，根據其裂紋的形狀判斷事物之吉凶，這就是最早的占卜。占卜的一個重要原則是考量時間，也就是要考慮特定時空，才能準確斷定吉凶，所以「卜」要有「圭」，合在一起就是「卦」字。

相傳八卦為伏羲所造，但伏羲是如何造八卦的呢？傳說他正是在四正四隅八個方位立八圭測日影，並對其進行總結記錄之後，形成的八卦圖像。八卦創立於時空之中，其主要目的就是占卜吉凶。正因為如此，「卦」字才有了「卜」之意蘊。

從歷史文獻記載來看，《周易》為卜筮之書的觀點源遠流長。最早對《周易》進行解讀的《易傳・繫辭傳》就說：「《易》有聖人之道四焉：以言者尚其辭，以動者尚其變，以製器者尚其象，以卜筮者尚其占。」肯定占卜為《周易》四道之一。秦時焚書坑儒，《周易》因屬於醫術卜筮之書而得以倖免，可見實際的歷史進程中，至少在先秦，《周易》為卜筮之書是一公認的看法；而《左傳》中大量以《易》占卜的記載，也正可從另一側面證實這一史實。同時，歷代官方都設有占卜機構，西漢設太卜令，東漢將之併入太史令，隋、唐、宋均設有太卜署。這些官方占卜機構所依據的主要書籍就是《周易》。

從學術史來看，歷代學者多有主張《周易》為占筮之書者，且有許多擅長此道之大家不時出於世間。兩漢之焦贛、京房自不必言，兩宋之陳摶、邵雍更是有過之而無不及。即便以儒解《易》的朱熹等人，也並不避諱《周易》為卜筮之書的事實。

從民間史來看，更是可以看出《周易》一書的占卜性質。無論是野史還是小說傳奇中，都不難看到算命先生持一本《周易》而算盡天機的描述。華人文化圈的匹夫匹婦，也許完全不能了解《周易》蘊藏的所謂「大道」之一分一毫，但絲毫不影響他們完全明白《周易》可以占卜算命的事實。

## 15. 如何看待《周易》的整體功能？

《周易》一書既可以占卜，又可以哲思。那麼，從整體上看，《周易》在中國文化發展中功能如何呢？如果從思想史、文化史的角度來看，《周易》的整體功能至少可以從三個方面來進行認識。[1]

首先，《周易》建立了一個包羅萬象的符號系統，這一符號系統奠定了中國文化幾乎全部學術思考的基本模式。

八卦符號的作者捨棄世間萬物紛紜的表象，從中概括出最簡潔、最單純的陰陽兩爻，其內涵高度縮小，同時其外延無限擴大，從而被認為是萬物發生的根本標識。由陰陽爻構成的八經卦儘管最初具有天、地、雷、風、水、火、山、澤等具體象徵意義，但當這八種具體事物被轉換為乾、坤、震、巽、坎、離、艮、兌時，其具體性作為一種潛在的因素，由顯入微，

---

1 本部分內容主要參考詹石窗《易學與道教思想關係研究》第一章，廈門：廈門大學出版社，2001 年。

由彰入晦，八卦由此成為代表八類事物的單純符號，由之重疊而成的六十四卦，更是每一卦、每一爻都成了一個元件，它們代表了宇宙一切事物及其關係。由此，《周易》的符號系統便具有了「普遍意義」，就如馮友蘭先生所說的那樣：「《周易》哲學可以稱為宇宙代數學。代數學是算學中的一個部門，但是其中沒有數目字，它只是一些公式，這些公式用一些符號表示出來。對於數目字來說，這些公式只是些空套子。正是因為它們是空套子，所以任何數目字都可以套進去。我說《周易》可以稱為宇宙代數學，就是這個意思。《周易》本身並不講具體的天地萬物，而只講一些空套子，但是任何事物都可以套進去，這就叫『神無方而《易》無體』。」[1]

正因為《周易》的符號系統這一「無方」「無體」的特性，中國學術的任何一派都可以從中汲取營養，將自己的理論架設於《周易》的符號體系之中。因此，我們看到，在中國的學術史、文化史上，儒家據《易》論理，道家據《易》修仙，佛家據《易》悟禪，醫家據《易》救人，小說家據《易》說故事，政治家據《易》治天下……《周易》這一符號體系，不僅是宇宙「代數學」，也是中華學術「代數學」。

其次，《周易》設置了一個精妙辯證的信息處理系統，這

---

1　馮友蘭 1984 年在「中國周易學術研討會」上的《代祝詞》，見唐明邦、羅熾、張武、蕭漢明編《周易縱橫錄》，武漢：湖北人民出版社，1986 年，第 7 頁。

一處理系統成為中國人決策行動的基本範式。

通過由數取象、由象得旨的方式，《周易》的符號系統與文字系統之間形成了一個契妙的信息處理系統，通過占卜、哲思等方式，與國人日用生活相鏈接，影響着中國人的所思所行。如《周易》講「一陰一陽之謂道」，造就了中國人萬事講究「陰陽和合」的包容；又如《周易》講「否極泰來」，講「七日來復」……造就了中國人無論身處何種逆境，總有滿懷希望的樂觀；再如講「革故鼎新」，造就了中國人奮進向上、窮則求變的勇敢……《謙》卦讓國人謙遜，《觀》卦讓國人大氣，《蒙》卦讓國人好學，《屯》卦讓國人隱忍堅毅……總之，《周易》所傳達的豐富信息，幾乎無一不被國人奉為圭旨，成為國人思考、行動的基本範式。

最後，《周易》提供了一個認識世界、解釋世界的基本框架，為後人的思想發揮、理論建構開了先河，同時也留下了無窮的發展空間。

《周易》本質上是一本占筮之書，其卦象解釋廣泛納入了自然事物和人類社會的內容。無論是八卦的構建，還是六十四卦的構建，以及卦爻辭的寫作，都已經充分認識到了宇宙的統一性問題，其符號系統、文字系統的創作，吉凶進退的分析，都是基於這一宇宙統一觀念。又由於《周易》符號系統的特質，使得在這一觀念下構建的系統具有無限解讀性，因此，在提供了基本的認識範式之外，《周易》最為重要的意義，就是

提供了無限之可能，激發中國人無限之哲思，在數千年的歷史文化長河奔湧中，刺激、引導着國人的思維不斷趨於豐富和縝密。即使在今天，《周易》的這一功能仍然有着勃勃生機，且不僅影響國人，還在世界更大的範圍持續擴展其力量。

# 第二章 《周易》象數底蘊

眾所周知，《周易》以象為本。整部《周易》的義蘊及其原理，都是由象生發出來的，故學《易》之人都必須立足於象，從象入手，才能洞察《周易》之奧秘，把握《周易》之要旨。

## 第一節 觀物取象

### 16.甚麼是「象」？易象與意象、法象之聯繫、區別何在？

「象」本指一種長鼻、長牙、大耳的哺乳動物，是陸地上現存最大的動物。漢許慎《說文解字》云：「象，長鼻牙，南越大獸，三年一乳，象耳牙四足之形。凡象之屬皆從象。」後來「象」又衍生出諸多義項，《辭源》列舉了七種：第一，象牙曰象，如象床、象笏。第二，形狀，象貌，如圖像、畫像，通作「像」。第三，凡形於外者皆曰象，如氣象、星象。第四，酒器

名。第五，通譯之官。第六，舞名。第七，姓。而在易學中，所謂象，就是「像」，是客觀事物的圖像，含有「形象」「象徵」之義。《周易・繫辭下》云「是故易者，象也；象也者，像也」，孔穎達疏「易卦者寫萬物之形象」「象也者，像此者也」，又云「言象此物之形狀也」。顯而易見，易卦中蘊含着「象」，而這「象」乃模擬外物而來。《周易・繫辭上》對此作了說明：「聖人有以見天下之賾，而擬諸其形容，象其物宜，是故謂之象」，謂聖人發現了天下至為深奧難明的道理，就把它比擬成具體可感的形象，用來象徵事物合宜的含義，因而稱之為「象」。概言之，易象是模擬客觀世界具體事物的情狀而具有象徵意義的概念術語。縱觀《周易》一書，其創作原則是以象喻意，以象闡理。正因為象在《周易》中具有至關重要的意義，故在《春秋左傳》中就有以《易象》來稱呼《周易》的記載。

易象與意象、法象既有聯繫，又有區別。三者都離不開「象」，都跟客觀存在的一切物體和現象息息相關，然而側重點不同。易象通常指《周易》八卦的卦象，擴而大之，涵蓋《周易》六十四卦象及卦爻辭。意象，在古代漢語中通常作「意思與形象」「心情與容貌」解（在現代漢語中通常作「意境」解，指文學藝術作品通過形象描寫表現出來的境界和情調，換言之，指文藝作品中客觀景物和主觀情思融合一致而形成的藝術境界），但是北宋易學大師邵雍卻拈來作為易學的一個重要概念，他認為易有意象，「立意皆所以明象」，強調《周易》以意

象為主而統領「三象」:「有言象,不擬物而直言以明事;有像象,擬一物以明意;有數象,七日、八月、三年、十年之類是也。」而法象,在古代漢語中通常指自然界的一切現象,或作「效法、模仿」解。如《周易‧繫辭上》所云,「是故法象莫大乎天地,變通莫大乎四時」,其中的「法象」指的是自然界的一切現象。當然,對上述句中「法象」一詞的詮釋,古今尚有不同的看法:《周易集解》引翟元日「見象立法」,視「法象」為一個詞組;今人則多把「法象」釋為「仿效自然」。

## 17. 先民是怎樣「觀物取象」的?如何理解「易與天地準」?

《周易‧繫辭下》與漢許慎《說文解字‧敘》都對先民「觀物取象」的過程,作了生動而詳盡的闡述。《周易‧繫辭下》云:

> 古者包犧氏之王天下也,仰則觀象於天,俯則觀法於地,觀鳥獸之文與地之宜,近取諸身,遠取諸物,於是始作八卦,以通神明之德,以類萬物之情。

許慎《說文解字‧敘》云:

> 古者庖犧氏之王天下也,仰則觀象於天,俯則觀法於

地，視鳥獸之文與地之宜，近取諸身，遠取諸物，於是始
作易八卦，以垂憲象。

文中的包犧氏（庖犧氏），古籍多作伏羲，乃傳說中我國原始
社會的部落領袖。伏羲統治天下的時候，抬頭觀察天上日月星
辰，低頭觀察地面一草一木，細看飛鳥走獸身上的花紋以及地
理狀貌，近處從人體自身取象，遠處從外界事物取象，這才製
作了《易》之八卦，用來摹擬自然界的一切現象和人類社會的
種種情態，藉以通曉大千世界發展變化的內在規律。

　　不難看出，先民在創作八卦的過程中，始終遵循「易與天
地準」的原則，即取象畫卦以天地為參照物，從而推導出宇宙
間萬事萬物的發展規律，「故能彌綸天地之道」。古人云「易以
象為本」，而象乃以天地之象為主。明白了這一點，深奧的易
理就迎刃而解了。正如《周易·繫辭上》云「仰以觀於天文，
俯以察於地理，是故知幽明之故」，謂仰觀天文、俯察地理就
能知曉世間幽深和顯明的事理，並強調「與天地相似，故不
違」，易象既然與天地相似，內含自然規律，那麼人的行為就
絕對不能違反天地自然界的規律。而易道之所以「放之四海而
皆準」，為世人所仿效，乃在於它「範圍天地之化而不過」，涵
蓋了天地間化育的原理而沒有過錯。

　　同時，我們從先民創作八卦的過程中，也發現了中國先民
認識世界以及哲學思維的顯著特點，即從探究天地之間乃至整

個宇宙的自然奧秘入手，進而研究人體自身乃至人類社會的發展變化規律，從而摸索出為人處世乃至治國理政平天下的原則、方略，實現從「天之道」到「人之道」的質的飛躍，也即以天道規範人道，最終達到「天人合一」的境界。這不啻是作易者的初衷。

## 18. 易學所說的「象」包括哪些層次？它們在易學中佔據甚麼地位？

易學所說的「象」，是一個極為複雜的概念。其指向廣泛，既可實指，也可虛指，內涵十分豐富。歷代易學家對象的內涵及其外延的理解、界定，往往不盡相同，解讀也各異。易象有廣、狹義之分。狹義的易象，是指摹擬自然界或人類周圍的種種現象或具體事物而成為有象徵意義的圖像，由陰（--）、陽（—）兩種符號組合而成，或三畫（八卦之象），或六畫（六十四卦之象）。廣義的易象，除了卦、爻象之外，還包括卦辭之象、爻辭之象。為敘述方便，筆者把狹義的易象列為第一方面，把卦、爻辭之象列為第二方面。下面分而述之[1]。

首先是卦象與爻象。這個方面可以分為四個層次。

層次一：陰陽二畫之象。

在《周易》中，最基本的圖像是陰（--）、陽（—）兩種符

---

1　關於《周易》之象的界定及其劃分，參見張善文：《象數與義理》，瀋陽：遼寧教育出版社，1993 年。

號，它們是構成八卦乃至六十四卦的基礎。《周易》及由之延伸的易學象數、義理，都是從陰陽二畫及其不同組構形式生發而來。可以這樣說，沒有陰陽二畫，《周易》乃至整個易學體系就成了無源之水、無本之木。

《周易‧繫辭上》曰：「一陰一陽之謂道。」先人以（--）代表陰，以（—）代表陽，旨在揭示大自然及人類社會中種種矛盾對立的事物或現象。如天地、日月、冷暖、陰晴、水火、晝夜、盛衰、進退、剛柔、男女、生死等，都分別被冠以陰、陽的概念。而研究陰陽矛盾的對立及其轉化的內在規律就叫作「道」，此乃《周易》一書的創作宗旨，也是其最大的閃光點。《莊子》也說「易以道陰陽」，一語道出了易學區別於其他學說的顯著特點。

層次二：八卦之象。

先人以陰（--）、陽（—）兩種符號為基礎，創製了八種形狀各異的三畫卦，從而構建了易象的基本體系。《周易》的哲學內蘊以及種種解說，都是依據這八卦的圖形及其象徵物加以闡述、發揮而來的。故後人把這八卦稱作「經卦」。

八卦符號及其基本象徵物如下：

乾（☰），三條陽畫，象徵物為天；

坤（☷），三條陰畫，象徵物為地；

震（☳），兩條陰畫在上，一條陽畫在下，象徵物為雷；

巽（☴），兩條陽畫在上，一條陰畫在下，象徵物為風；

坎（☵），上下為陰畫，中間一陽畫，象徵物為水；

離（☲），上下為陽畫，中間一陰畫，象徵物為火；

艮（☶），一條陽畫在上，兩條陰畫在下，象徵物為山；

兌（☱），一條陰畫在上，兩條陽畫在下，象徵物為澤。

八卦是先人觀察自然現象而得到的一種特殊的認知表達方式。歷代易學家正是以八卦的卦形及其基本象徵物為參照物，解讀《周易》六十四卦的構成及其象徵義，藉以闡釋客觀世界以及人類社會紛繁複雜的情態、現象。此外，先人還把八卦作為八種方位的象徵，進而製作了「伏羲八卦方位圖」（也稱「先天八卦方位圖」）、「文王八卦方位圖」（也稱「後天八卦方位圖」）。

層次三：六十四卦之象。

先人為了最大程度地發揮八卦象的喻示作用，以便更精準地反映自然界和人類社會的種種情態及二者之間錯綜複雜的關係，在八卦上做足了文章。他們不僅把八卦本身的三畫重疊為六畫，而且依據數學的排列組合原則，把八卦三畫象「兩兩組合」而成新的六畫象，計有六十四卦，始於乾、坤兩卦，終於既濟、未濟兩卦。這六十四卦的卦象既源於八卦，其喻示作用自然也與八卦的基本象徵物、象徵義息息相關，其哲學內蘊因而也更加豐富。正如曾仕強所說，「《易經》中的六十四卦，代表了宇宙人生中的六十四種情境」[1]。六十四卦的產生，表明

---

1　曾仕強：《易經的奧秘》，西安：陝西師範大學出版社，2009 年，第 105 頁。

《周易》以陰陽爻為內核、以八卦的卦象為基礎的完整而有序的易學符號體系的正式確立，也表明我國先民的思維能力有質的飛躍。

與八卦被稱為「經卦」相對，《周易》六十四卦也被稱作「別卦」。所謂「別」就是分別的意思，即六十四卦各自具有獨立的符號形態與理趣。

層次四：三百八十四爻之象。

由八卦衍化而來的六十四卦，每卦都有六爻，總計三百八十四爻，是八經卦二十四爻的十六倍。毋庸置疑，每卦六爻因其自身陰陽、位次之別，展現的爻象的內涵要比卦象更為細緻、深邃。如果說，《周易》六十四卦反映的是自然界及人類社會乃至個人生活中的六十四種情境，那麼，每卦的六爻反映的則是每種情境裡六個不同階段的變化。

其次是卦辭之象、爻辭之象。

如果說，上述第一方面涉及的易象屬於「符像」，是對客觀現實世界萬事萬物模擬、概括而形成的一種抽象符號，那麼，第二方面則是對其「實像」的象徵性解說。從這個角度看，附在《周易》六十四卦的卦形下的文辭即卦辭、爻辭，可以稱作「辭象」。它們以文字形式來刻畫自然界及人類社會的各方面情境，使六十四卦的哲學內蘊更顯豁、易懂，從而成為可感的、帶有文學色彩的形象。

可以這樣說，六十四卦的卦、爻形與卦、爻辭（或曰圖

形與文字）相輔相成，旨在明易象、闡易理。正如宋代易學家項安世在《周易玩辭》中所說，「凡卦辭皆曰象，凡卦畫皆曰象；未畫則其象隱，已畫則其象著」[1]，六十四卦的卦、爻辭是未畫的「隱象」，六十四卦的卦、爻形則是已畫的「顯象」（即「著象」）。下面分為兩個小層次，分別闡析卦辭之象、爻辭之象。

層次一：卦辭之象。·

《周易》六十四卦，每卦都有一則概括該卦要旨、揭示該卦象徵義的文字，即卦辭。如《泰》卦卦辭曰「泰，小往大來，吉，亨」，謂泰卦象徵通泰，陰柔小人離開，陽剛君子前來，可獲吉祥、亨通。該卦下乾（☰）為天，上坤（☷）為地，有天地陰陽交合、萬物化生通暢之象，故名為「泰」。為了闡發天地通泰之道，該卦辭擬取「小往大來」之象，以明通泰之時陰柔者衰而往外逃離，陽剛者盛而居內行事之景況。孔穎達《周易正義》曰：「陰去故『小往』，陽長故『大來』，以此吉而通。」可見《周易》六十四卦的卦辭，都是「依樣畫葫蘆」的，即根據各卦具體的卦形而撰寫寓含象徵義的文句。

層次二：爻辭之象。

《周易》六十四卦三百八十四爻，每爻都有一則揭示該爻象徵義的文字，即爻辭。爻辭緊密配合爻形，詮釋爻象，成為

---

1　[宋]項安世：《周易玩辭》卷一，《通志堂經解》康熙年間本，第4頁。

易象的有機組成部分。如《大過》卦初六爻辭擬取「藉用白茅」為象，以明陰柔卑弱處下、自宜戒懼之旨；九二爻辭擬取「枯楊生稊，老夫得其女妻」為象，以明陽剛雖過甚但能與陰柔相濟而獲利的情狀；九三爻辭擬取「棟橈」之象，以明陽剛盛極必有兇險之旨；九四爻辭擬取「棟隆」之象，以明貶抑過剛之氣必致吉祥之旨；九五爻辭擬取「枯楊生華，老婦得其士夫」為象，以明壯健之陽濟助衰極之陰的情狀；上六爻辭擬取「過涉滅頂」為象，以明極柔之陰面臨的凶境。這六則爻辭所擬取之象，從「藉用白茅」到「過涉滅頂」，步步深化，生動、形象地刻畫了陽剛過甚、陰柔衰極的種種情態，進而告誡世人糾大過之咎，調節陰陽平衡。可見《周易》三百八十四爻的爻辭，都是根據各爻的陰陽性質及其在卦中的具體位次而撰寫寓含象徵義的文句。

## 第二節　八卦與六十四卦象徵揭秘

### 19. 為甚麼說「乾坤」是《易》之門戶？

「乾坤是《易》之門戶」這一命題，最早見載於《周易‧繫辭下》。其中引孔子的話說：「乾坤，其《易》之門邪？」謂乾坤兩卦，應該是《易》的門戶吧？其根據是：「乾，陽物也；坤，陰物也。陰陽合德而剛柔有體，以體天地之撰，以通神明之德。」意思是說：乾是純陽之物，坤是純陰之物，陰陽二氣相

互配合而剛柔各有形體，可以用來體察天地的修為，洞曉神明的德行。這言簡意賅地點出了乾坤兩卦作為陰陽物象、剛柔形體在認識世界過程中的重要作用。

如果說《周易・繫辭下》所引孔子對乾坤是《易》的門戶的論述是或然命題的話，那麼唐代李鼎祚的《周易集解》、孔穎達的《周易正義》則果決地肯定了「乾坤是《易》之門戶」這一命題。

李鼎祚《周易集解》引荀爽曰：「陰陽相易，出於乾坤，故曰門。」姚信曰：「乾坤為門戶，文說乾坤，六十二卦皆放（按，放即仿）焉。」孔穎達《周易正義》曰：「易之變化，從乾坤而起，猶人之興動，從門而出。」

綜上先賢所述，可知乾坤在易學中的門戶作用是毋庸置疑的。下面詳析之。

首先，在八經卦中，乾（☰）是純陽卦，坤（☷）是純陰卦，它們或三爻皆陽，或三爻皆陰，這在八經卦中是絕無僅有的。正是由於它們的存在，或者說由於乾坤兩卦的陰陽爻互相交易的結果，才產生了坎（☵）、離（☲）、震（☳）、巽（☴）、艮（☶）、兌（☱）六卦，才構建了《周易》的經卦體系。故《說卦傳》稱乾為父、坤為母，而震、坎、艮分別為長男、中男、少男，巽、離、兌分別為長女、中女、次女，理清了乾坤與其餘六卦的源流關係。

其次，乾坤兩經卦重卦之後，其卦形分別為六個陽爻與

六個陰爻，陰陽二爻交易的空間更大，機遇更多，從而產生了六十二種卦形，構建了《周易》六十四卦的別卦體系。

最後，乾坤兩卦的象徵物（尤其是其基本的象徵物天、地）與特定的象徵義（剛健、柔順），是貫穿《周易》六十四卦的線索與靈魂。學易者唯有讀懂乾坤兩卦的卦辭、爻辭、彖傳、象傳、文言傳，理清它們之間的內在聯繫，把握乾坤兩卦蘊含的哲學原理，才能洞悉《周易》六十四卦的體例、要義及象徵旨趣，從而領會「易以道陰陽」「一陰一陽之謂道」的易學宗旨。

## 20. 八卦的取象依據與象徵意義是甚麼？

上述已提及，八卦是擬取天、地、雷、風、水、火、山、澤八種自然物象為基本象徵物。那麼，八卦的取象依據是甚麼呢？

第一，乾（☰），三陽爻，象徵「天」。古人認為，天地未開闢之前，宇宙間充塞著混沌之氣，而氣有陰陽之分，輕清者為陽，重濁者為陰。陽氣升浮為天，故以純陽爻的乾卦為「天」之象。

第二，坤（☷），三陰爻，象徵「地」。古人認為，陰氣沉聚為地，故以純陰爻的坤卦為「地」之象。

為了幫助讀者明了陰陽與天地的關係，這裡不妨再引用漢劉安《淮南子・天文訓》與南宋朱熹的兩段精闢論述。《淮南

子‧天文訓》說：

> 宇宙生元氣，元氣有涯垠。清陽者薄靡而為天，重濁
> 者凝滯而為地。清妙之合專易，重濁之凝竭難。故天先
> 成而地後定。天地之襲精為陰陽。

朱熹說：

> 天地初間（一作「開」），只是陰陽之氣。這一個氣運
> 行，磨來磨去，磨得急了，便拶（zā，排除）許多渣滓；
> 裡面無處出，便結成個地在中央。氣之清者便為天，為日
> 月，為星辰，只在外，常周環運轉。地便只在中央不動，
> 不是在下。[1]

概言之，古之賢哲認為，宇宙化生出元氣，而元氣所包含的
陰陽二氣的分離產生了天地，故三陽爻的乾卦自然而然就成
了「天」的象徵，而三陰爻的坤卦也自然而然就成了「地」的
象徵。

第三，震（☳），下爻陽，上兩爻陰，象徵「雷」。古人認

---

1 ［宋］黎靖德編，王星賢點校：《朱子語類》卷一，北京：中華書局，1986
年，第1冊第6頁。

為，居下陽氣上升，處上陰氣下降，陰陽碰撞，發而為雷。《淮南子·天文訓》說「陰陽相搏，感而為雷，激而為霆」，謂雷霆是由於陰陽二氣逼近，相互摩擦而產生的。故以震卦為「雷」之象。

第四，巽（☴），下爻陰，上兩爻陽，象徵「風」。巽卦形二陽上升，一陰下降，喻示風氣運行於二者之間。唐李鼎祚《周易集解》引三國吳陸績曰「風，土氣也。巽，坤之所生，故為風」，強調風是運行於地面之氣，為地（坤）所生。故以巽為「風」之象。

第五，坎（☵），上下爻陰，中爻陽，象徵「水」。坎卦之形像眾水奔流之情狀。《周易集解》引宋衷曰：「坎，陽在中，內光明，有似於水。」故以坎為「水」之象。現代化學中，水的分子式為 $H_2O$，表明水是由兩個氫原子與一個氧原子組成，這與坎卦陰陽爻的組合形式不謀而合。

第六，離（☲），上下爻陽，中爻陰，象徵「火」。《周易集解》引崔憬曰：「取卦陽在外，像火之外照也。」離卦形二陽在外，一陰在內，好像火光之照耀；同時火在燃燒時，水汽陣陣蒸發出來，也合乎「火中有水」之科學原理。故以離為「火」之象。

第七，艮（☶），下兩爻陰，上爻陽，象徵「山」。艮卦形一陽居高，凌駕二陰，猶山峰巍峨壯健，其內卻陰氣凝聚，故象「山」。孔穎達《周易正義》云：「取陰在下為止，陽在於上

為高，故艮象山也。」《周易集解》引宋衷曰：「二陰在下，一陽在上。陰為土，陽為木。土積於下，木生其上，山之象也。」又一說，艮卦形一陽在上，內蓄二陰，象徵凝結成石，聚而成山。故《春秋說題辭》云：「陰含陽，故石凝為山。」然山再高，其深層仍有大量濕氣以供養山上草木之生長，俗語所謂「山高水更高」，這大概也是以「山」作為艮的象徵物的緣由。

第八，兌（☱），下兩爻陽，上爻陰，象徵「澤」。兌卦形一陰居上，內蓄二陽，猶表面陰濕，內部卻陽氣凝聚（也即熱氣屯積），故象「沼澤」。《周易集解》引虞翻曰：「坎水半見，故為澤。」引宋衷曰：「陰在上，令下濕，故為澤也。」當今利用沼澤開發地熱資源，也足以證明古人以兌為澤之象的聰慧與卓識。

八卦不僅擬取「天」「地」「雷」「風」「水」「火」「山」「澤」八種物象為其基本象徵物，同時也以此為「標的」，遠取諸物，近取諸身，泛取自然界和人類社會乃至人自身的各種物象為其象徵物。如《乾》卦還可以為「圜（即圓環）」「君」「父」「玉」「金」「寒」「冰」「大赤」「良馬」「老馬」「瘠馬」「駁馬」「木果」之象；《坤》卦還可以為「母」「布」「釜」「吝嗇」「均」「子母牛」「大輿」「文」「眾」「柄」「黑」之象。其他六卦之取象，囿於篇幅，這裡就不贅述了。

當然，要真正了解八卦的哲學內涵，不僅要弄清八卦的象徵物象，更要洞悉八卦特定的象徵意義。下面簡析之。

第一，乾，象徵意義為「健」。《周易正義》云：「乾象天，天體運轉不息，故為健也。」乾效法天，而天體晝夜運轉不止，故它有「強健」「剛健」之義。

第二，坤，象徵意義為「順」。《周易正義》云：「坤象地，地順承於天，故為順也。」坤效法地，地順承天時運行，滋養萬物，故它有「柔順」「溫順」之義。

第三，震，象徵意義為「動」。《周易正義》云：「震象雷，雷奮動萬物，故為動也。」震效法雷，雷聲響起震動萬物，故它有「震動」「奮動」之義。

第四，巽，象徵意義為「入」。《周易正義》云：「巽象風，風行無所不入，故為入也。」巽效法風，風行天下，無孔不入，故它有「順入」「散入」「潛入」之義。

第五，坎，象徵意義為「陷」。《周易正義》云：「坎象水，水處險陷，故為陷也。」坎效法水，水流所到之處，地面塌陷，險象叢生，故它有「深陷」「險陷」之義。

第六，離，象徵意義為「麗」（附着）。《周易正義》云：「離象火，火必著於物，故為麗也。」離效法火，火的燃燒必憑藉可燃物，故它有「附着」「依附」之義。

第七，艮，象徵意義為「止」。《周易正義》云：「艮象山，山體靜止，故為止也。」艮效法山，山體靜止不動，故它有「靜止」「抑止」之義。

第八，兌，象徵意義為「說」（同「悅」）。《周易正義》云：

「兌象澤，澤潤萬物，故為說也。」兌效法澤，沼澤滋潤萬物，萬物為之歡悅，故它有「歡悅」「愉悅」之義。

當然，對八卦取義原因的詮釋，並不囿於上述所引孔穎達《周易正義》一家，前賢先哲尚有多種不同看法。他們或從卦、爻的剛柔性質出發，如：釋乾卦的「健」義，《周易集解》引漢虞翻曰：「精剛自勝，動行不休，故健也。」釋《坤》卦的「順」義，《周易集解》云：「純柔，承天時行，故順。」釋《離》卦的「麗」義，《周易集解》云：「日麗乾剛。」或從卦的陰陽爻組合角度着眼，如：釋《震》卦的「動」義，清李光地《周易觀象》云：「陽在下而陰壓，則必動而出。」《周易集解》云：「陽出動行。」釋巽卦的「入」義，《周易集解》云：「乾初入陰。」李光地《御纂周易折中》引宋邵雍曰：「一陰入二陽之下。」釋《坎》卦的「陷」義，《周易集解》云：「陽陷陰中。」釋艮卦的「止」義，《周易集解》云：「陽位在上，故止。」釋《兌》卦的「說」義，《周易集解》云：「震為大笑，陽息震成兌，震言出口，故說。」《御纂周易折中》引邵雍曰：「一陰出於外而說於物。」或從語言角度來解讀卦義，認為古音相近則義也相通，如乾與健、坤與順、巽與散。

## 21. 如何理解六十四卦的象徵旨趣？

弄清八卦的象徵物及象徵義後，我們就不難理解《周易》六十四卦的象徵旨趣了。上述已提及，六十四卦是依據數學排

列組合的原理，由八卦的三畫象重疊而成六畫象的，故其象徵旨趣就是八卦象徵義的運用和發揮。

下面逐一簡析之。

第一，乾卦。

該卦形由八純卦乾（☰）的三陽爻重疊而成六陽爻。經卦「乾」既以天為象、以健為義，那麼重卦《乾》的象徵旨趣便是「天行健，君子以自強不息」，強調天體運行剛強勇健，君子應效之，自覺努力進取，永不停止。全卦揭示陽剛之氣在事物發展過程中的重大作用，闡明萬物的起源。

第二，坤卦。

該卦形由八純卦坤（☷）的三陰爻重疊而成六陰爻。經卦「坤」既以地為象，以順為義，那麼重卦《坤》的象徵旨趣便是「地勢坤，君子以厚德載物」，強調大地的氣勢平順厚重，君子應效之，努力增進美德，包容萬物。全卦揭示陰柔之氣在事物發展過程中的重大意義。

第三，屯卦。

該卦形由震（☳）與坎（☵）組成。下卦「震」以雷為象，以動為義；上卦「坎」以水為象，以險為義，而水蒸發為雲，故坎又為雲象。全卦以雲在雷之上為象，擬畫雲雷交加、欲雨未下的場景，象徵萬物初生時困難艱險的處境。該卦旨在警示世人創業之時，要經受得住艱難的考驗，勇於開拓，披荊斬棘向前進。

第四，蒙卦。

該卦形由坎（☵）與艮（☶）組成。下卦「坎」以水為象，以險為義；上卦「艮」以山為象，以止為義。全卦以山下有險為象、人遇險而止、止則未通，擬畫幼童蒙昧之情狀；又以山下出泉為象、泉水涓涓流淌，喻示開啟蒙昧應循序漸進，不可操之過急。該卦旨在闡明啟迪蒙昧的原則與方法，同時也理清了教與學兩者之間的關係，確立了啟蒙的「養正」「育德」之責。

第五，需卦。

該卦形由乾（☰）與坎（☵）組成。下卦「乾」以天為象，以健為義；上卦「坎」以水為象，以險為義，而水蒸發為雲，故坎又為雲象。全卦以雲升在天為象，擬畫雲氣聚集而雨未降之場景，寓含等待時機之意；又以剛健遇險陷之象，喻示事物的發展並非順暢無挫，前進路上仍有艱難險阻。該卦旨在闡明「守正待時」的道理，「凡事皆當順其理而待其成，不可妄有為作」[1]。

第六，訟卦。

該卦形由坎（☵）與乾（☰）組成。下卦「坎」以水為象，以險為義；上卦「乾」以天為象，以健為義。全卦以天與水相背而行為象，天自西轉，水自東流，上下各行其道，象徵不和諧而爭訟；又以上剛下險之象，喻示身陷險境卻蠻橫強悍，必

---

1 ［清］李光地：《周易觀象》卷二，《文淵閣四庫全書》本。

生爭訟。該卦旨在告誡人們要息訟止爭，防患於未然。

第七，師卦。

該卦形由坎（☵）與坤（☷）組成。下卦「坎」以水為象，以險為義；上卦「坤」以地為象，以順為義。全卦以地中有水為象，地能蓄水，地中最多的物質莫過於水，故喻示眾多；又卦名「師」乃軍旅之稱，故象徵兵眾。而該卦以「坤」順居「坎」險之上，陽剛居中而應，行險而順，則喻示守持正義，順乎民心，就能化險為夷，無堅不摧。該卦旨在闡發用兵之道，強調要容畜民眾，以民為本，同時要順道應時，方能獲勝。

第八，比卦。

該卦形由坤（☷）與坎（☵）組成。下卦「坤」以地為象，以柔順為義；上卦「坎」以水為象。全卦以地上有水為象，「地得水而柔，水得土而流」[1]，擬畫兩者相親相依之情狀。該卦旨在揭示事物之間相互依附共存的道理，理清人與人之間的系列關係（如士民親附、下級順從上級等）。

第九，小畜卦。

該卦形由乾（☰）與巽（☴）組成。下卦「乾」以天為象，上卦「巽」以風為象。全卦以風行天上為象，微風吹拂，升至天上，是時烏雲密佈卻未能下雨，象徵小有積蓄。該卦旨在揭示事物發展過程中養精蓄銳的道理，體現抑陰扶陽的傳統理念。

---

1　[唐] 李鼎祚：《周易集解》卷三引《子夏易傳》，《文淵閣四庫全書》本。

第十，履卦。

該卦形由兌（☱）與乾（☰）組成。下卦「兌」以澤為象，上卦「乾」以天為象。全卦以天在上、澤居下之象，喻示人間「上下之正理也，人之所履當如是」[1]，告誡世人應篤行禮義，小心行走。

第十一，泰卦。

該卦形由乾（☰）與坤（☷）組成。下卦「乾」以天為象，上卦「坤」以地為象。全卦以天地交合為象，天氣下降，地氣上升，陰陽交感，擬畫萬物生機通暢、無所羈絆之情狀。該卦旨在闡發上下交感而事物順利發展的道理，喻示上下級溝通心志而事業通達興旺。

第十二，否卦。

該卦形由坤（☷）與乾（☰）組成。下卦「坤」以地為象，上卦「乾」以天為象。全卦以天地不交為象，天氣上升，地氣下降，二氣隔絕，擬畫萬物生機不通暢以致窒息待亡之情狀。該卦旨在揭示任何事物內部都存在相互對立的兩個方面，勉勵世人有信心，不沮喪，化否為泰。

第十三，同人卦。

該卦形由離（☲）與乾（☰）組成。下卦「離」以火為象，

---

1 [宋]程頤：《周易上經傳》卷二，元刻本；[宋]董楷：《周易傳義》附錄《周易上經程朱先生傳義附錄》卷三，《文淵閣四庫全書》本。

上卦「乾」以天為象。全卦以「天體在上，火又炎上」[1] 之象，擬畫萬物親和之情狀，喻示天下之人應和睦共處，相親相愛，為實現大同社會而努力。

第十四，大有卦。

該卦形由乾（☰）與離（☲）組成。下卦「乾」以天為象，上卦「離」以火為象。全卦以火在天上為象，火焰騰騰，盤踞天上，光照四方，擬畫萬物昌盛興旺之情狀，警示世人在大有收穫之時應遏惡揚善，順應自然規律行事。

第十五，謙卦。

該卦形由艮（☶）與坤（☷）組成。下卦「艮」以山為象，上卦「坤」以地為象。全卦以地中有山為象，山本地上，現居地下，擬畫謙卑之情狀。該卦旨在揭示事物的發展要適中、切忌過分滿盈的道理，告誡世人以謙虛為懷，「損有餘而補不足」，均平施予。

第十六，豫卦。

該卦形由坤（☷）與震（☳）組成。下卦「坤」以地為象，以順為義；上卦「震」以雷為象，以動為義。全卦以雷出地動為象，雷聲隆隆作響，大地震動，擬畫萬物振作、歡欣之情狀。該卦旨在揭示順從物性而動就能獲取歡樂的道理，告誡世

---

1　[魏] 王弼、[晉] 韓康伯注，[唐] 孔穎達疏：《周易注疏》卷二，清嘉慶二十年南昌府學重刊宋本《十三經注疏》本。

人不可耽於歡樂，要適可而止。

第十七，隨卦。

該卦形由震（☳）與兌（☱）組成。下卦「震」以雷為象，上卦「兌」以澤為象。全卦以澤中有雷為象，雷既藏於大澤中，一旦雷聲大作，大澤則隨之而動，擬畫事物之間隨從之情狀。該卦旨在揭示事物隨時而動的道理，告誡世人要隨從正道、隨從美善。

第十八，蠱卦。

該卦形由巽（☴）與艮（☶）組成。下卦「巽」以風為象，上卦「艮」以山為象。全卦以山下有風為象，山下颳大風，風遇山而迴旋，物則散亂不堪，擬畫萬事惑亂而待治之情狀。該卦旨在揭示事物惑亂之際，應有的放矢、解惑脫困、化亂為治的道理。

第十九，臨卦。

該卦形由兌（☱）與坤（☷）組成。下卦「兌」以澤為象，上卦「坤」以地為象。全卦以澤上有地為象，澤卑地高，高下相臨，象徵位高權重者監臨位卑職低者。該卦旨在告誡統治者要親臨於民，體察下情，竭盡思慮教導民眾，施德行仁，涵養百姓。

第二十，觀卦。

該卦形由坤（☷）與巽（☴）組成。下卦「坤」以地為象，上卦「巽」以風為象。全卦以風行地上為象，和煦的風吹拂大

地，無所不至，草木為之偃伏，擬畫萬物日觀善行而受恩惠之情狀。該卦旨在闡明觀瞻美善事物以淨化心靈、健全德行的道理，喻示統治者要巡視四方，觀察民俗，設置教化，純潔風氣。

第二十一，噬嗑（shì hé）卦。

該卦形由震（☳）與離（☲）組成。下卦震以雷為象，上卦離以火、以電為象。全卦以雷鳴電閃為象，雷動於下，電照於上，雷電交加，合成天威，擬畫萬物畏懼、不敢懷邪之情狀。該卦喻示統治者應樹立刑法的權威，使民望而生畏。而卦名「噬嗑」，原意是嘴裡含有食物，須上下顎咬合才能咀嚼，故也寓含施行刑罰必須嚴密無漏洞，方能生效。

第二十二，賁（bì）卦。

該卦形由離（☲）與艮（☶）組成。下卦「離」以火為象，上卦「艮」以山為象。全卦以山下有火為象，「山之為體，層峰峻嶺，峭嶮參差」[1]，其形已如雕飾，再加火光映照，益發華美豔麗，擬畫事物「文飾」之狀態。該卦旨在揭示「文飾」在事物發展過程中的功用與意義，然也反對過度粉飾、包裝，彰顯其崇尚自然樸實的審美觀。

第二十三，剝卦。

該卦形由坤（☷）與艮（☶）組成。下卦「坤」以地為象，

---

1　[唐] 李鼎祚：《周易集解》卷五引王廙語，《文淵閣四庫全書》本。

以順為義；上卦「艮」以山為象，以止為義。全卦以山附於地為象，高山坍塌，附着地面，擬畫事物頹敗、衰落之場景，警示事物剝落之際應順勢制止。該卦為世人提供了應對「剝落」之良方：因勢利導，化「剝」為「復」。

第二十四，復卦。

該卦形由震（☳）與坤（☷）組成。下卦「震」以雷為象，上卦「坤」以地為象。全卦以雷在地中為象，雷在地中微微作響，擬畫陽氣回復、萬物蘇醒、大地更新之情狀。該卦旨在闡發世間一切事物唯有回復正道才能興盛的道理。

第二十五，無妄卦。

該卦形由震（☳）與乾（☰）組成。下卦「震」以雷為象，上卦「乾」以天為象。全卦以天下雷行為象，雷在空中隆隆轟響，擬畫萬物戒懼、不敢胡作非為的情景。該卦旨在揭示處事要識時、守正、不妄為的道理。

第二十六，大畜卦。

該卦形由乾（☰）與艮（☶）組成。下卦「乾」以天為象，上卦「艮」以山為象。全卦以天在山中為象，天為大器，卻被包藏在山中，擬畫蓄聚巨大的場景。該卦旨在闡明任何事物為了生存、發展，必須「大為蓄聚」的道理，喻示君子要多識記前賢先聖的箴言嘉行，用以蓄養自己的德行與才幹。

第二十七，頤卦。

該卦形由震（☳）與艮（☶）組成。下卦「震」以雷為象，

以動為義；上卦「艮」以山為象，以止為義。全卦以山下有雷為象，山止於上，雷動於下，如同人們嚼食，上唇不動，下唇鼓動，擬畫萬物獲食以頤養之情狀。該卦旨在闡發事物「頤養」之道：不僅要守正以「自養」，更要養其德以「養賢以及萬民」。

第二十八，大過卦。

該卦形由巽（☴）與兌（☱）組成。下卦「巽」以木為象，上卦「兌」以澤為象。全卦以澤滅木為象，大澤浩瀚，把樹木都淹沒了，擬畫事物陷入岌岌可危的處境。該卦旨在強調事物的發展處在「大為過甚」之際，應及時以剛濟柔，以臻平衡。

第二十九，坎卦。

該卦形由八純卦坎（☵）重疊而成。「坎」以水為象，以陷為義，兩坎疊加，猶如水流不息，卻填不滿陷穴，喻示事物的發展處於重重艱難險阻的境地。該卦旨在告誡世人：要謹言慎行，秉持美德不渝，方能走出險境，邁上坦途。

第三十，離卦。

該卦由八純卦離（☲）重疊而成。「離」以火、以日為象，兩離疊加，猶如日月「兩明」懸掛天空，普照四方，也如火焰憑藉可燃物接連升空，喻示事物必須依附一定條件才能發展。該卦旨在告誡世人：在依附一定的社會生活環境時，必須守持正道，方能亨通。

第三十一，咸卦。

該卦形由艮（☶）與兌（☱）組成。下卦「艮」以山為象，

上卦「兌」以澤為象。全卦以山上有澤為象，山氣下降，澤氣上升，二氣相通互應，擬畫事物之間交感相應之情狀（或以為「澤性下流，能潤於下；山體上承，能受其潤；以山感澤，所以為咸」[1]，亦通）。該卦旨在闡發天地交感而萬物化生的道理，強調統治者要感化人心，方能臻於天下和平。

第三十二，恆卦。

該卦形由巽（☴）與震（☳）組成。下卦「巽」以風為象，以散為義；上卦「震」以雷為象，以動為義。全卦以雷動風散為象，雷以巨響振動萬物，風以發散疏通萬物，二者相需互助而養物，喻示天地萬物恆久不變之性狀。該卦旨在揭示事物的恆久之道，強調為人處世要堅守正義，永不改易。

第三十三，遁卦。

該卦形由艮（☶）與乾（☰）組成。下卦「艮」以山為象，上卦「乾」以天為象。全卦以天下有山為象，山勢高峻，直逼天宇，擬畫事物遇險逃避之情形。該卦旨在闡發事物的退避之道，告誡世人在事物的發展遭受挫折之時，必須急流勇退，韜光養晦，以待後日大展宏圖。

第三十四，大壯卦。

該卦形由乾（☰）與震（☳）組成。下卦「乾」以天為象，

---

1 [唐]孔穎達：《周易正義》卷五，阮刻《十三經注疏》本，北京：中華書局，1980 年影印。

上卦「震」以雷為象。全卦以雷在天上為象，雷發雄威，在天上隆隆轟響，擬畫事物大為壯盛之情狀。該卦在盛讚事物「大壯」氣勢的同時，也告誡世人要堅貞自守，勿恃壯妄為。

第三十五，晉卦。

該卦形由坤（☷）與離（☲）組成。下卦「坤」以地為象，上卦「離」以日為象。全卦以日出地上為象，「日從地出，而升於天」[1]，光明照大地，擬畫事物進長之盛況。該卦旨在闡發事物進長的趨勢及其內在規律，強調君子要不斷進取，以彰顯其美德。

第三十六，明夷卦。

該卦形由離（☲）與坤（☷）組成。下卦「離」以日為象，上卦「坤」以地為象。全卦以日入地中為象，日墜地中，四周為之暗淡無光，擬畫事物遭受創傷之情狀。該卦旨在喻示光明被黑暗所取代的末世亂象，褒揚君子晦藏其智而更顯其明德。

第三十七，家人卦。

該卦形由離（☲）與巽（☴）組成。下卦「離」以火為象，上卦「巽」以風為象。全卦以風自火出為象，「火出之初，因風方熾；火既炎盛，還復生風」[2]，擬畫事物內外相成之情狀。該卦旨在闡述治家乃至治國之道，強調「正家而天下定」，只

1 ［唐］李鼎祚：《周易集解》卷七引崔憬語，《文淵閣四庫全書》本。

2 ［魏］王弼、［晉］韓康伯注，［唐］孔穎達疏：《周易注疏》卷四，清嘉慶二十年南昌府學重刊宋本《十三經注疏》本。

有各家內部成員居位處事得當，全天下才能安定太平。

第三十八，睽（kuí）卦。

該卦形由兌（☱）與離（☲）組成。下卦「兌」以澤為象，上卦「離」以火為象。全卦以上火下澤為象，「火性炎上，澤性潤下」[1]，擬畫事物之間對立背離之情狀。該卦旨在闡發「求大同存小異」的哲理。

第三十九，蹇（jiǎn）卦。

該卦形由艮（☶）與坎（☵）組成。下卦「艮」以山為象，以止為義；上卦「坎」以水為象，以險為義。全卦以山上有水為象，山勢高峻，水積其上，擬畫路險行難之情狀。該卦旨在告誡世人：要直面多難世道，「見險而能止」，反身修德，方能濟難脫困。

第四十，解卦。

該卦形由坎（☵）與震（☳）組成。下卦「坎」以水為象，上卦「震」以雷為象。全卦以雷雨交作為象，雷響太空，雨灑大地，百果草木都綻開外殼，吐綠發芽，擬畫事物紓解患難之情狀。該卦側重闡發紓解險難禍患的宗旨及其方法，表達對安泰舒適的社會生活環境之企盼。

第四十一，損卦。

該卦形由兌（☱）與艮（☶）組成。下卦「兌」以澤為象，

---

1 ［唐］李鼎祚：《周易集解》卷八引荀爽語，《文淵閣四庫全書》本。

上卦「艮」以山為象。全卦以山下有澤為象，「澤在山下，澤卑山高，似澤之自損以崇山」[1]，擬畫事物自我減損之情狀。該卦旨在闡發「損下益上」之道，並強調君子修身應「懲忿窒慾」，積極向上，自覺減損不良之言行。

第四十二，益卦。

該卦形由震（☳）與巽（☴）組成。下卦「震」以雷為象，上卦「巽」以風為象。全卦以風雷交助為象，「雷動風行，二者相成」[2]，擬畫事物之間相得益彰之情狀。該卦旨在闡發「損上益下」之道，並強調君子修身應「見善則遷，有過則改」[3]，增益己德。

第四十三，夬（guài）卦。

該卦形由乾（☰）與兌（☱）組成。下卦「乾」以天為象，上卦「兌」以澤為象。全卦以澤上於天為象，澤水蒸發上天，決然成雨，滂沱而下，擬畫決斷事情之情狀。該卦旨在告誡世人：當事物矛盾空前激化之際，應當機立斷，以正壓邪，果決處置齷齪小人，絕不心慈手軟。

第四十四，姤（gòu）卦。

1　[唐]孔穎達：《周易正義》卷六，阮刻《十三經注疏》本，北京：中華書局，1980 年影印。

2　[唐]李鼎祚：《周易集解》卷八引鄭玄語，《文淵閣四庫全書》本。

3　[唐]孔穎達：《周易正義》卷六，阮刻《十三經注疏》本，北京：中華書局，1980 年影印。

該卦形由巽（☴）與乾（☰）組成。下卦「巽」以風為象，上卦「乾」以天為象。全卦以天下有風為象，「風行天下，則無物不遇」[1]，擬畫事物相遇之情狀。該卦旨在闡發事物之間（尤其是人與人之間）的遇合之道，竭力反對不守禮法、不講原則的苟合。

第四十五，萃（cuì）卦。

該卦形由坤（☷）與兌（☱）組成。下卦「坤」以地為象，上卦「兌」以澤為象。全卦以澤上於地為象，澤處低窪，水潦歸之，萬物叢生，擬畫事物會聚的場景。該卦着重闡發會聚之道，強調人與人之間必須「聚以正道」，順從自然規律。

第四十六，升卦。

該卦形由巽（☴）與坤（☷）組成。下卦「巽」以木為象，上卦「坤」以地為象。全卦以地中生木為象，樹木生於地，得陽光雨露，從小到大，不斷長高，擬畫事物逐步上升之情狀。該卦旨在告誡世人：為人處事應嚴格遵循客觀規律，順行其德，不斷積累小善，才能上升到崇高而偉大的精神境界。

第四十七，困卦。

該卦形由坎（☵）與兌（☱）組成。下卦「坎」以水為象，上卦「兌」以澤為象。全卦以澤無水為象，大澤因漏水而乾

---

1　［唐］孔穎達：《周易正義》卷六，阮刻《十三經注疏》本，北京：中華書局，1980 年影印。

涸，生活於其中的魚蝦蟲草也無所適存，擬畫事物陷入的困境。該卦旨在揭示擺脫困境的原則與方法，並勸勉世人：身陷困境也應不失中和之德行，即便捐軀喪命，也要成就名節與志向。

第四十八，井卦。

該卦形由巽（☴）與坎（☵）組成。下卦「巽」以木為象，上卦「坎」以水為象。全卦以木上有水為象，「桔槹引瓶，下入泉口，汲水而出」[1]，擬畫汲取井水之場景。該卦熱情洋溢地讚頌水井養人而不窮的德性，喻示君子應秉承井德，修身潔己，廣施恩澤，惠及百姓。

第四十九，革卦。

該卦形由離（☲）與兌（☱）組成。下卦「離」以火為象，上卦「兌」以澤為象。全卦以澤中有火為象，熊熊烈火在水澤中燃燒，大有澤不乾涸火不熄滅之勢頭，喻示「二物不相得，終宜易之」[2]。該卦旨在強調變革是推動事物發展（尤其是人類社會發展）的巨大動力，並指出改革成功的關鍵是抓準機遇，順天應人。

第五十，鼎卦。

該卦形由巽（☴）與離（☲）組成。下卦「巽」以木為象，

1　[唐]李鼎祚:《周易集解》卷十引鄭玄語,《文淵閣四庫全書》本。

2　[唐]李鼎祚:《周易集解》卷十引崔憬語,《文淵閣四庫全書》本。

上卦「離」以火為象。全卦以木上有火為象，木柴順着火勢徐徐燃燒，鼎在其間，呈現烹飪食物之景況。該卦通過闡述鼎器的功用，揭示養德養身、治家治國之道，強調君子以正位守命。

第五十一，震卦。

該卦形由八純卦震（☳）重疊而成。震為雷，全卦以響雷疊連為象，巨雷滾滾，接連而來，聲震天地，擬畫事物震懼的情態。該卦旨在警示世人要敬畏天威，修身省過，謹言慎行，方能化危為安，免禍致福。

第五十二，艮卦。

該卦形由八純卦艮（☶）重疊而成。「艮」以山為象，以止為義。全卦以兩山重疊為象，山上有山，山壓着山，擬畫事物被抑止之情狀。該卦旨在闡發「時止則止，時行則行，動靜不失其時」的道理，強調要抑止邪慾妄行。

第五十三，漸卦。

該卦形由艮（☶）與巽（☴）組成。下卦「艮」以山為象，上卦「巽」以木為象。全卦以山上有木為象，樹木植於山，逐漸長大，擬畫事物漸進發展之情狀。該卦旨在揭示「物進宜漸」的道理，並強調君子要逐漸積累賢德懿行，改善世風民俗。

第五十四，歸妹卦。

該卦形由兌（☱）與震（☳）組成。下卦「兌」以澤為象，上卦「震」以雷為象。全卦以澤上有雷為象，大澤之上，巨雷轟響，擬畫少女出嫁場面之壯觀。該卦旨在揭示天地陰陽交合

之道，強調君子要始終守正而不淫佚。

第五十五，豐卦。

該卦形由離（☲）與震（☳）組成。下卦「離」以電為象，上卦「震」以雷為象。全卦以雷電皆至為象，電閃雷鳴，擬畫事物勢大威猛之狀態。該卦闡發了處豐的原則，警示人們豐盈不忘虧空，並強調執法者既要憑藉法的威力，又要體察下情，才能公正地斷案施刑。

第五十六，旅卦。

該卦形由艮（☶）與離（☲）組成。下卦「艮」以山為象，上卦「離」以火為象。全卦以山上有火為象，火在山上燃燒，其勢非長久也，擬畫行人居無定所、四處漂泊之情狀。該卦旨在闡發旅行期間應謙柔恬靜，順應環境，「客隨主便」，然也要持中守正，不改平生志趣的道理。

第五十七，巽卦。

該卦形由八純卦巽（☴）重疊而成。「巽」以風為象，以入為義。兩巽疊加，猶如惠風陣陣相隨，無所不至，無所不順，凸現事物互為順從之情狀。該卦旨在闡發順從之道，主張陰柔順從陽剛，下級服從上級，強調謙卑自律、守正不阿才能有所作為。

第五十八，兌卦。

該卦形由八純卦兌（☱）重疊而成。「兌」以澤為象，以悅為義。兩兌疊加，猶如兩澤相通，水流匯合，彼此「交相浸

潤，互有滋益」[1]，擬畫事物之間歡欣雀躍之場景。全卦旨在闡發善處歡悅的原則（順天應人，守持正道），以及具體做法（悅於身先任勞，悅於奔赴危難，悅於朋友講習）。

第五十九，渙卦。

該卦形由坎（☵）與巽（☴）組成。下卦「坎」以水為象，上卦「巽」以風為象。全卦以風行水上為象，風吹水面，蕩起層層波紋，擬畫事物渙散的情狀。該卦從分析事物的渙散現象入手，揭示散與聚二者之間既對立又統一的關係，彰顯「形散而神不散」的事物本質。

第六十，節卦。

該卦形由兌（☱）與坎（☵）組成。下卦「兌」以澤為象，上卦「坎」以水為象。全卦以澤上有水為象，水入沼澤，一旦澤滿則有潰堤之患，昭示事物發展過程中必須有所節制的道理。該卦旨在強調適當的節制利國利民，對社會的健康發展大有裨益。

第六十一，中孚卦。

該卦形由兌（☱）與巽（☴）組成。下卦「兌」以澤為象，上卦「巽」以風為象。全卦以澤上有風為象，風行澤上，無所不周，擬畫誠實守信之德澤廣被天下萬物之情狀。該卦旨在強調「內心篤守誠信」的重要性，並展示了「信」與「無信」在日

---

1　[宋]程頤：《周易下經傳》卷八，元刻本。

常社會生活中的種種表現及其結果。

第六十二，小過卦。

該卦形由艮（☶）與震（☳）組成。下卦「艮」以山為象，上卦「震」以雷為象。全卦以山上有雷為象，巨雷在山上轟響，其聲稍微超過平常，擬畫事物發展過程中「小有超過」的情狀。該卦旨在說明：治國理政必須堅持正確的方向與原則，然在堅持原則的前提下，有時為了妥善處理瑣碎細事，也允許稍有過越；換言之，就是原則性與靈活性二者達到有機的統一。

第六十三，既濟卦。

該卦形由離（☲）與坎（☵）組成。下卦「離」以火為象，上卦「坎」以水為象。全卦以水在火上為象，火焰在水下燃燒，擬畫烹煮食物之情狀，象徵事物已臻成功（或云：水在火之上，而水能滅火，抑止災難，預示其事必成）。該卦旨在警示世人不要耽於成功的喜悅，應防患於未然。

第六十四，未濟卦。

該卦形由坎（☵）與離（☲）組成。下卦「坎」以水為象，上卦「離」以火為象。全卦以火在水上為象，「火性炎上，水性潤下，雖復同體，功不相成」[1]，即不能烹飪食物，擬畫事未竟之窘態。該卦旨在強調在事未成之時，應審慎辨物，奮發進取，各顯神通，促其成功。

---

1　[唐] 李鼎祚：《周易集解》卷十二引侯果語，《文淵閣四庫全書》本。

## 第三節　象數的基本概念與體例

### 22. 甚麼是「爻象」與「卦象」？二者關係如何？

在《周易》中，「爻」是構成八卦乃至六十四卦的基本因素，其表現形式有兩種：一為單一長橫道「—」；二為兩段短橫道「--」。前者為陽爻，後者為陰爻。每三爻構成一卦，計有八卦。八卦中每兩卦相重，共得六十四卦；每卦則有六爻，合計三百八十四爻。在易學中，所謂「爻象」，是指某一卦某一爻的象徵。具體地說，是指三百八十四爻各自特定的象徵事物及其象徵意義。換言之，諸爻之象並非專指各自特定的符號（即長或短橫道），還因各爻自身性質（或陰爻或陽爻）的不同，及其在各卦中所處位置的不同，而呈現出各種不同的狀態，即象徵。其具體表現為：一是爻位的等級象徵。《周易》六十四卦，每卦六爻由下至上排列，依次稱為初爻、二爻、三爻、四爻、五爻、上爻（若六爻皆為陽爻，則依次名曰初九、九二、九三、九四、九五、上九；若六爻皆為陰爻，則依次名曰初六、六二、六三、六四、六五、上六）。如此位序，喻示了事物從萌生到發展、從低級到高級的全過程，象徵事物在其發展的各個階段所處的不同地位。二是爻位的「三才」或「三極」象徵。《周易・繫辭下》云：《易》之為書也，廣大悉備：有天道焉，有人道焉，有地道焉。兼三才而兩之，故六；六者，非它也，三才之道也。」《周易・說卦》亦云：「昔者聖人之作

《易》也，將以順性命之理。是以立天之道曰陰與陽，立地之
道曰柔與剛，立人之道曰仁與義。兼三才而兩之，故《易》六
畫而成卦。」是謂八卦的三爻，乃天、地、人三才的象徵；而
由八卦相重而成的六十四卦，每卦六爻則兼具天地人三才的象
徵，即初爻、二爻為「地」位，三爻、四爻為「人」位，五爻、
上爻為「天」位。《周易・繫辭上》則把「三才」稱為「三極」，
說「六爻之動，三極之道也」，三極也指天、地、人。三是爻
位的「得正」與「失正」象徵。每卦六爻中，凡居初、三、五
爻位為奇位，屬陽位；二、四、上爻位為偶位，屬陰位。《易》
例，凡陽爻居陽位，陰爻居陰位，稱「得位」「得正」「當位」；
反之，凡陽爻居陰位，陰爻居陽位，則稱「失位」「失正」「不
當位」。得正之爻，象徵事物沿「正軌」運行，進展順利；失
正之爻，象徵背離「正軌」，寸步難行。四是爻位「中」的象徵。
《易》例，六爻位序中，凡處在二爻位與五爻位，均稱為「中」，
象徵事物居中不偏的狀態；如果陽爻居五位，陰爻居二位，
則是既正又中，稱為「中正」，象徵事物盡善盡美。五是爻位
的「承」「據」「乘」「應」象徵。《易》例，凡下爻依傍上爻，叫
「承」，多指陰爻承接陽爻，象徵位卑者順從、承奉位高者；凡
陽爻居陰爻之上，叫「據」，象徵位尊者居高臨下，有恃無恐；
凡上爻凌駕下爻，叫「乘」，多指陰爻居陽爻之上，象徵卑賤
者欺凌、壓抑高貴者；凡居卦中六爻，上下兩兩交相感應，叫
「應」，即初爻與四爻對應，二爻與五爻對應，三爻與上爻對

應，象徵事物矛盾的兩個方面相互對立、相互依存的關係。

至於卦象，是指八卦或六十四卦中某一卦的象徵。具體地說，是指八卦或六十四卦各自特定的象徵事物和象徵意義。換言之，所謂卦象並非僅指八卦的三畫的卦形符號或六十四卦的六畫的卦形符號，還指涵藏其中的自然界和人類社會發展過程中的種種象徵。它與爻象的關係，是整體與局部、全體與個別的關係。爻象所呈現的是某一卦中某一爻具體的象徵，卦象所呈現的是某一卦整體的象徵。故卦象在反映客觀世界的廣度與深度方面，遠非爻象所能比擬。《周易》的作者為了幫助人們理解卦象、爻象，特作《象傳》。《象傳》分《大象傳》《小象傳》。總釋一卦之象者，曰大象。如《坤》卦之《大象》曰：「地勢坤，君子以厚德載物。」專釋一爻之象者，曰小象。如《坤》卦初六爻《小象》曰：「初六履霜，陰始凝也；馴致其道，至堅冰也」，六二爻《小象》曰：「六二之動，直以方也；不習無不利，地道光也」；六三爻《小象》曰：「含章可貞，以時發也；或從王事，知光大也」；六四爻《小象》曰：「括囊無咎，慎不害也」；六五爻《小象》曰：「黃裳元吉，文在中也」；上六爻《小象》曰：「龍戰於野，其道窮也」。概言之，大象、小象分別從卦、爻所示之象，通過想像解釋推論人事的變化[1]，而這正體現了卦、爻象本身所具有的象徵意義。

---

1 見《辭源》，北京：商務印書館，1981年。

## 23. 理解《周易》「象數」應該掌握哪些基本概念與範疇？

在中國易學研究史上，「象數」「義理」始終是治易的兩種重要方法。而要正確理解《周易》的「象數」，首先要弄清甚麼是象數，甚麼是義理；其次要理順「象」與「數」二者之間的關係，同時要理清有關象數的一些概念與範疇。

甚麼是象數？顧名思義，象數就是象與數的合稱。所謂象，已如上述，就是卦象、爻象，即八卦、六十四卦的卦的卦象及三百八十四爻的爻象，在概念上含有徵象、形象、象徵的旨趣；所謂數，就是筮數，也即陰陽奇偶之數。故《周易》象數，也即八卦、六十四卦的卦象及三百八十四爻的爻象，與陰陽蓍策之數的合稱。而義理就是根據象數而引發出來的道理。象與數本來是不可分的。象的顯現本身即意味着數的存在，而數的意指亦與象的顯現合一。隨着易學占卜之術的發展，象與數遂有了區分。《左傳》僖公十五年：「龜，象也；筮，數也。物生而後有象，象而後有滋（滋長），滋而後有數。」杜預注曰：「言龜以象示，筮以數告；象數相因而生，然後有占。」按照這種看法，則象在先而數在後。這種觀點是符合人的一般認識規律的。人的認識是一個由具體到抽象的過程。數在最初是與具體的形象密不可分的。隨着抽象水平的發展，數才脫離了有形物體而成為「形而上」的東西。《周易》通過觀察物質世界的種種現象，從而創造出卦象來作為宇宙信息的符號代

表，又通過一定的數的推演而求得某一卦象，以提取一定的信息，作為行動遵循的依據。當獲得了卦象之後，占卜之人又根據其符號象徵的原則，結合社會人事問題進行解釋，於是有了義理。這就是由數取象，由象得旨。當然，就易學本身的發展而言，數從象分化，並不意味着兩者徹底分道揚鑣。事實上，它們在占筮者那裡又被互相轉換，以提供必要的信息。《周易·繫辭上》曰「極數知來之謂占」，又曰：「參伍以變，錯綜其數；通其變，遂成天地之文；極其數，遂定天下之象。」《周易·說卦》曰：「昔者聖人之作《易》也，幽贊於神明而生蓍，參天兩地而倚數，觀變於陰陽而立卦，發揮於剛柔而生爻，和順於道德而理於義，窮理盡性，以至於命。」這些話都表明，當先民們從物象抽取出數的概念並能夠根據奇偶（「參天」一、三、五為奇，「兩地」二、四為偶）特性加以演算的時候，數便反過來成為筮者獲取卦象的準繩。[1]

必須強調的是，在我國先民那裡，無論是用「象」還是用「數」進行占卜，其最終目的都是揭示義理，為自己未來的行動作決策；然二者占卜的方法及決策的依據畢竟不同，這是研《易》者必須注意的。孔穎達《左傳正義》曰：「卜之用龜，灼以出兆，是龜以金、木、水、火、土之象而告人。筮之用蓍，揲

---

1 參見詹石窗、連鎮標：《易學與道教文化》，福州：福建人民出版社，1995年，第58、63頁。

以為卦,是筮以陰陽著策之數而告人也。」這就表明:在春秋時期,用龜占卜者,其決策的依據是五行之象;用著占筮者,其決策的依據是陰陽之數。陰陽五行是時人卜筮的兩大理論槓桿。而到了戰國時代,易學發展的標誌是解《易》專著——《易傳》的出現。為了完善易學的理論體系,《易傳》解《易》不僅繼承了孔子的傳統學風,將《周易》進一步哲理化,而且吸收了道家和陰陽家的天道觀,突出了陰陽五行學說在解經過程中的作用,以至進入漢代,出現了以陰陽五行思想為主導的易象數學派,其代表人物是孟喜、焦贛、京房。他們解經不僅從「象」與「數」出發,從中發掘六十四卦極為豐富的義蘊,而且以陰陽災變說、卦氣說、五行說、納甲說等諸種新學說來闡釋《周易》經傳文,這就大大豐富了六十四卦的卦義和內容,同時使占筮之術更加靈活多樣,更便於比附人事之吉凶,更能多層次地解釋錯綜複雜的社會現象和自然現象,因而顯得更「靈驗」。孟京學很快就贏得了世人的信任,在社會上廣泛流傳開去。從此,易象數學在中國封建社會裡一直綿延不絕,大放光芒。

### 24. 甚麼叫「參天兩地」「四營之數」?

「參天兩地」,為易卦立數之義。它源於前引《周易·說卦》:「昔者聖人之作《易》也,幽贊於神明而生著,參天兩地而倚數,觀變於陰陽而立卦,發揮於剛柔而生爻,和順於道德而理於義,窮理盡性,以至於命。」這段話闡述了聖人創作《周

易》的全過程：起始，默默禱告於神明而自然界就生出蓍草以供占筮；繼之，利用天的「三」數與地的「兩」數建立起《周易》的數字體系；再之，觀察天地陰陽的變化而創立《周易》的諸卦；最後，發散卦中剛柔兩畫而產生《周易》變動不居的諸爻。其中「參天兩地而倚數」句，說的就是《周易》立數的過程。下面詳析之。

所謂「參天」，即「三天」（參，三也），就是指「一」至「五」這五個「生數」當中的三個奇數「一」「三」「五」，其和為九；所謂「兩地」，就是指五個「生數」當中的兩個偶數「二」「四」，其和為六。因生數之中奇數之和為九，偶數之和為六，故《易》以「九」代表陽爻，以「六」代表陰爻。又據馬融、王肅之說，生數止於「五」，以此為本，加一為六，加二為七，加三為八，加四為九，於是蓍數因之而成，也謂之成數。成數因生數而立。而在《周易》中，「七、八、九、六」之數分別代表「陰陽老少」：「九」為老陽，「六」為老陰，「七」為少陽，「八」為少陰。陽極變陰，陰極變陽，故逢「九」變「六」，逢「六」變「九」，而遇「七」「八」則不變。[1]

另有一說，「參天兩地而倚數」的「參」「兩」並非實指，而是分別指代奇數、偶數，也就是說「參」指代奇數，「兩」指

---

1　參見詹石窗、連鎮標：《易學與道教文化》，福州：福建人民出版社，1995年，第64－65頁。

代偶數。如晉韓康伯《周易注》曰：「參，奇也；兩，耦（按，即偶）也。七、九，陽數；六、八，陰數。」唐孔穎達《周易正義》曰：「生數在生著之後，立卦之前，明用著得數而布以為卦，故以『七、八、九、六』當之。『七、九』為奇，天數也；『六、八』為耦，地數也。故取奇於天，取耦於地，而立『七、八、九、六』之數也。何以『參兩』為目『奇耦』者？蓋古之『奇耦』亦以『三兩』言之，且以『兩』是耦數之始，『三』是奇數之初故也。不以『一』目『奇』者，張氏云：『以「三」中含「兩」，有一以包兩之義，明天有包地之德，陽有包陰之道。』故天舉其多，地舉其少也。」如此，「參天兩地而倚數」謂採取天地奇偶之數創立《周易》的數字體系。

四營之數，則是指在《周易》占筮中，經過大衍數的四次推算（即 50 根著草的分組排列處理）而得到的六、七、八、九這四個數。據《周易·繫辭上》載，其具體程序（也即演數得卦的過程）為：

大衍之數五十，其用四十有九。分而為二以象兩，掛一以象三，揲之以四以象四時，歸奇於扐以象閏；五歲再閏，故再扐而後掛……天數五，地數五，五位相得而各有合。天數二十有五，地數三十，凡天地之數五十有五。此所以成變化而行鬼神也。乾之策二百一十有六，坤之策百四十有四，凡三百有六十，當期之日。二篇之策，萬有

一千五百二十，當萬物之數也。是故四營而成易，十有八
變而成卦，八卦而小成。引而申之，觸類而長之，天下之
能事畢矣。

所謂「衍」，就是演。因筮法乃是推演天地運行之數而得，天
地乃域中至大，故稱「大衍」。前人所謂「天地之數」，乃是指
10 個奇偶數。1、3、5、7、9，其和 25；2、4、6、8、
10，其和 30。兩者相加等於 55，故《易大傳》稱「凡天地之
數五十有五」。但「大衍之數」為甚麼又僅用 50 呢？前人的解
釋各不相同。或以為 50 之數係由太極、兩儀、日月、四時、
五行、12 個月、24 個節氣之數相加而得；或以為大衍之數
即天地之數，因傳寫之誤，於「五十」之後脫去「有五」兩字，
故為 50。我們以為，大衍之數比天地之數少了 5，乃是出於
一種對「生數」（1、2、3、4、5）的景仰觀念。因生數有大
化之德，故尊之，虛而不用，於是大衍之數便比天地之數少了
5。在虛了 5 數之後，為甚麼又說「其用四十有九」呢？這是因
為古易家以為八卦未分之前乃是一個「太極」，太極不動，所
以又把 50 根蓍草掛起一根以象徵太極。如此，則實際使用的
蓍草只有 49 根。[1] 至於如何「四營而成易」，三國陸績據《易・

---

1　參見詹石窗、連鎮標：《易學與道教文化》，福州：福建人民出版社，1995
年，第 65—66 頁。

繫辭上》闡析為：

> 分而為二以象兩，一營也；掛一以象三，二營也；
> 揲之以四以象四時，三營也；歸奇於扐以象閏，四營也。
> 謂四度營為，方成易之一爻者也。

是說將 49 根蓍草任意分為兩份，左右手各執一份，藉以象徵天地（或曰陰陽兩儀），這是第一營；從右手所執蓍草中取出 1 根，夾在左手小指間，藉以象徵天地人三才，這是第二營；以 4 根蓍草為一束，分別計數左右手所執的蓍草，藉以象徵一年四季，這是第三營（具體地說，是「以四策為除數，一次次地減除右手所握的一把蓍策。除到最後有四種可能的後果：剩下一策，或剩下二策，或剩下三策，或正好整除，算剩下四策。除完右手的一份，再用同樣的方式除左手所握的一把蓍策」）[1]；分別把左右手剩餘的蓍草夾在各自的中指與無名指之間，然後把兩手剩餘的蓍草合併在一起，藉以象徵閏月，這是第四營。經過這四營，易的一爻才得以形成。

---

1　參見詹鄞鑫：《八卦與占筮破解》，鄭州：中州古籍出版社，1991 年，第 30—31 頁。

# 第三章 《周易》圖式要略

## 第一節 易圖與象數學派

### 25. 易圖之學是怎樣興起與發展的？

易圖之學，是宋代興起的以各種象數圖式來解釋《周易》原理的學說。之所以興起，原因是多方面的。首先，這是象數派與義理派相互排斥又滲透融合的結果。《四庫全書總目》將易學分為兩派六宗，兩派指象數派、義理派，六宗指占卜宗、禨祥宗、造化宗、老莊宗、儒理宗、史事宗。六宗實際上可歸屬於兩派。其中，象數派從數（陰陽奇偶之數、九六之數、大衍之數、天地之數等）或象（卦爻象、八卦之物象等）的角度來解說《周易》之《經》《傳》文義，以推測宇宙事物的關係與變化。義理派則側重從卦名、卦體和卦德來解釋《周易》，注重闡發《周易》的經義名理和哲理內涵。易學象數、義理兩派的分野發軔於《易傳》，成熟於漢魏。漢人解《易》，離不開

象和數。西漢孟喜以卦氣講象數；其後焦贛、京房等講陰陽災異，使象數學流於機祥吉凶之術。東漢易學重經注疏，參之以卦變、互體等方式解《易》。發展到東漢末年，漢代象數易學氾濫至極，由盛轉衰。魏代王弼認識到漢代象數的種種不足，提倡得意忘象，一掃漢易象數而以義理解《易》，義理易學應運而起。由此，兩大派鼎立之勢遂成。到了唐代，孔穎達奉命撰「五經正義」，其中的《周易正義》以王弼之注為基礎，進行了大量的擴展性疏證，這又把義理之學引向另一個煩瑣極端。如何還原《周易》本身象數、義理並重的基調，成為當時學者思考的問題。以圖像作為表徵義理的符號，有其學科發展的內在必然性。其次，道教學說成為易圖之學興起的重要推力。宋代河圖洛書、先天圖、太極圖等易圖，就淵源而論，可遠溯於漢代「丹經王」《周易參同契》。漢魏以來，「太易、黃老、爐火」之學的摻雜在道門中世代相襲，道教學者對丹經的詮釋已經出現了諸多的圖像，這為大《易》圖書之學提供了很好的借鑑。可以說，易圖之學的勃興，既是易學內在的象數、義理矛盾運動的一種體現，也是儒家學者、道教學者思想交鋒與融通的產物。

　　宋代易圖之學，始於陳摶。《宋史・藝文志》載陳摶《易龍圖》一卷，《宋文鑑》保留有陳摶的《龍圖序》一文。龍圖，即龍馬負圖，也即當今所見的黑白點河圖、洛書。《龍圖序》認為，龍圖肇始於伏羲時代，反映三個變化階段：天地未合之

數、天地已合之位和龍圖天地生成之數。其中天地未合之數代表天地未交的狀態，天地已合之位代表天地相交而生成萬物，龍圖天地生成之數則用以表徵和暗示天地萬物運行規律。

陳摶之學授种放。种放之後，易圖之學分而為三：一支為种放以河圖、洛書傳李溉，溉傳許堅，堅傳范諤昌，諤昌傳劉牧；一支為种放以太極圖傳穆修，修傳周敦頤，頤傳程顥、程頤；一支為种放以先天圖傳穆修，修傳李之才，之才傳邵雍。此為南宋朱震所述的易圖傳授譜系，大致可勾勒北宋易圖發展脈絡，但仍有不足，如卦變圖實亦是易圖的重要組成部分，有着重要影響，不可或缺。

河圖、洛書之名雖然見於先秦，但長期以來卻有其名而無其象。宋代劉牧得道門一系秘傳，推衍象數，他不遵漢易象數注疏經傳的考據訓詁作風，一變陳摶之龍圖為河圖、洛書，導引人們以易圖探尋天地萬物運行之道，開啟了河圖、洛書黑白點的時代。劉牧以總數五十五為洛書，以總數四十五為河圖。因為五十五數乃是一至十的累加，所以「洛書之數」簡稱「書十」；而四十五乃是一至九的累加，所以「河圖之數」簡稱「圖九」。劉牧認為，河圖、洛書皆出於伏羲之世，聖人則河洛而為八卦。河圖有中五無中十，土數未全，故只陳四象、八卦，未入於形器，屬於形而上。洛書生成數全，五行已生，已入形器，屬於形而下。劉牧的河洛學說引起巨大反響，王湜、朱震、朱元升、李簡、薛季宣等人相繼追隨。朱熹、蔡元定等

亦對河洛多有闡述，著《易學啟蒙》發明河洛之旨。與劉牧河九、洛十不同的是，朱、蔡二人以為圖十、書九，由於朱氏學說後為官方版本，圖十、書九遂成流行說法。元代河洛黑白點變成旋毛狀，傳承朱、蔡之河洛學說者多。至清代漢學復興，河洛之說被質疑，考據訓詁之下無完卵，攻訐之聲不斷。黃宗炎、胡渭、毛奇齡紛紛批評。而李光地、胡煦、江永等力挺河洛之說，闡發河洛精蘊。以至於今，人們結合西洋數學等，對河洛重加解析，亦使河洛學說綿延不絕。

「太極圖」經宋代周敦頤倡明而名於世。周敦頤用多圓組成的太極圖，希望形象地表現宇宙生成過程：由無極而太極。太極動而生陽，動極而靜，靜而生陰。分陰分陽，陽變陰合而生水火木金土，五氣順佈，四時行焉。二氣交感，化生萬物。朱熹改動太極圖第二圈黑白輪，並將陽動置下，遂為現通行之周氏太極圖。林至則用黑白相間的圖像分別表示太極、兩儀、四象、八卦的分化過程。周氏太極圖，不僅在易學內容上以象數來表現易學的宇宙變化之理，還在方法上激起了人們把太極陰陽八卦融於一圖的渴望，如明代出現趙撝謙《六書本義》之「天地自然之圖」、趙仲全《道學宗主》之「古太極圖」。天地自然之圖和古太極圖，是一種陰陽魚式的太極圖，皆以一圓表示，內含陰陽兩儀，外附八卦，較之周氏太極圖簡明而意賅。明代來知德吸取先天學和河洛學說，發明來氏太極圖，亦多有創新之意。現今流傳較廣者，是陰陽魚太極圖。

　　「先天圖」為邵雍所倡，見於後人張行成著作和朱熹《周易本義》卷首。張行成謂其有十四圖，朱子所載為伏羲八卦次序圖、伏羲八卦方位圖、伏羲六十四卦次序圖和伏羲六十四卦方位圖共四圖。先天圖是邵雍根據太極、八卦、六十四卦的衍生進路而排定的圖式，其間蘊含有天地之數、方圓之數和體用之數，反映了象數的統一，體現了邵雍以象數為主的易學旨歸。朱熹對黑白陰陽儀予以擴展，創製成橫圖，其擴展體式稱為「一分為二」法。朱熹解釋圓圖與橫圖關係，指出把橫圖中分併拗轉，即圍成圓圖，比如先將六十四卦作一橫圖，則復、姤卦正在中間。先自復而行以至於乾圍成半圓，然後自姤而順行以至於坤又圍成半圓，兩半圓便成一圓圖。南宋之後，先天圖及先天學在易學中佔據重要地位，崇尚先天圖和先天學者不乏其人。宋末元初的胡方平、胡一桂、吳澄等人皆因襲朱說。然朱子此解，卻遭到清儒王夫之、黃宗炎、毛奇齡、胡渭等人的抨擊。毛奇齡認為，朱熹的「先天圖」卦畫煩冗，卦位不合，卦數杜撰而無據。毛氏針對朱熹所傳的「先天圖」列了八大罪狀，其言辭之激烈無以復加。

　　「卦變說」是漢代注經詮釋中的一種理論，而「卦變圖」則是宋儒以圖像表現卦變說的一種形式。卦變圖始見於李之才（字挺之）。其圖有二，一是變卦反對圖，二是六十四卦相生圖，兩圖蘊含了李氏先天卦變的旨趣。朱熹雖在李挺之卦變圖上修改而成，卻着眼於變占而落入「之卦」卦變。俞琰融合

漢代消息卦變之形式而植於先天易的思想根柢，創作「先天六十四卦直圖」，引易道入丹道，易丹互詮，既直陳卦變的先天意蘊，又開啟卦變的修身實踐之途，構建了先天卦變的人體學。清代多引用前人卦變圖，重於卦變圖的考據、解說，發明創造者稀少。總的來說，卦變圖對於易學史有兩大貢獻：第一，從卦卦關係的表現形式及意義看，卦變圖突破了以往卦卦關係為單純文字而無圖的表現形式。對於卦與卦內在的陰陽變化關係，卦變圖有着文字無以達到的優勢，特別是對於《周易》的卦爻象和卦爻辭關係有重要解釋意義。第二，卦變圖又不專注於解經，它突破了往昔以卦變為注經目的的樊籬，而重在構建六十四卦的卦卦關係，拓展了易學理論和視域。卦變圖有若家庭之血緣或親情之紐帶，正是由於這紐帶，六十四卦的易學家庭才更加親密地成為一整體。

### 26. 易圖之學與象數派關係如何？

象數派有廣義和狹義之別，狹義的象數派是指以卦爻象數解經的派別，主要指荀爽、虞翻等為代表的漢易象數派。廣義的象數派，指一切運用象數注《易》的易學；實際上，除漢易象數派之外，還有圖書派，這是宋代興起的以各種象數圖式來表徵《周易》原理的派別，是廣義象數派的一個分支。

這裡所述的易圖之學與象數派的關係，主要是指易圖之學與漢易象數派之間的關係。首先，二者目的不同。漢易象數派

重在解釋卦爻辭的多重象徵旨趣；宋易圖之學重在表徵易學卦象的本初狀態，進行符號推演。兩漢時期經學興起，經學大家多利用考據、訓詁等方式對《周易》經傳進行注疏。從這個角度說，漢易象數派起源於當時以考據訓詁為特色的經學。其間，卦爻象與卦爻辭之間的關聯成為解釋的重點。在漢易象數派看來，卦爻辭與卦爻象之間是存在某種必然聯繫的。因而，漢易象數派必須說明卦爻辭之所以為此而不為彼的內在卦爻之象。宋代圖書之學，在此方面對漢易象數學有超越之處。圖書之學的主體需求不在於解經，而在於探索卦與卦、卦與爻之間的內在關係，並以此探尋易學作用於天地萬物的結構圖式及思想原理。

其次，二者的內容特徵也不同。漢易象數立足於《周易》經、傳中的象數言辭或卦爻符號，儘管亦有所引申，比如漢易學家針對八卦卦象代表的自然物景，已對《說卦傳》的卦象所代表事物作了演繹類推，但實際並未超越經傳象數的樊籬。當然，並非漢代所有的易學家的易學都只是為了注經，若孟喜、京房易學將《周易》入於陰陽災異，一變而為術數之用，此與漢易中其他注經象數者有所區別；但就漢代主流的象數易學家來看，是象數乃專在象數，而不側重於揭示卦爻背後的義理，甚至有意識地劃清象數派與義理派的界限。宋圖書之學，其中有太極圖、河圖洛書、先後天圖、卦變圖等，皆已超出《周易》經傳文辭的束縛，而索取圖書象數背後的義理旨趣，是象

數而不專在象數，乃是融合象數與義理派思想。

最後，二者所運用的象數形式、手段也不一樣。漢易注經，竭力透析卦爻象的結構特點來理解卦爻辭，從而形成一系列的象數體例。朱熹就對漢易中這一現象有過總結：「漢儒求之《說卦》而不得，則遂相與創為互體、變卦、五行、納甲、飛伏之法，參互以求，而幸其偶合。」[1] 所謂「互體」，指的是一個重卦中的二至四爻或三至五爻，構成新卦，因為兩個三畫卦共同存在於該六畫重卦中，像連體嬰兒一樣，故有此名稱。如《震》卦九四爻辭稱「遂泥」，這是因為這個六畫卦中的三至五爻構成了三畫的坎卦，「泥」中有水，故謂之「遂泥」。由互體又衍生出伏體、反體等。所謂「伏體」，即與原卦之陰陽屬性相對的卦。如《同人》之《彖》辭稱「大川」，是就下體離卦所伏坎卦之象說的，坎卦本象是水，「大川」是具體的水，由此可知其中埋伏着坎卦。「反體」，即把一個卦顛倒過來而形成的卦。如《鼎》卦初六爻稱「妾」，是因下體巽卦的符號正好與兌卦符號相反，故而藉兌卦初爻之「妾」為象。由此延伸於數的運用。漢易主要集中在大衍之數，以之用於蓍策，藉助卦象變化以占問吉凶，而對於天地之數的運用等卻論述不足。

圖書學的象數，或以某一或某些數量的大圓、小圓、黑白

---

1　［宋］朱熹：《雜著・易象說》，《晦庵先生朱文公文集》卷六十七，《朱子全書》第 23 冊，上海：上海古籍出版社、合肥：安徽教育出版社，2002 年，第 3255 頁。

點等形狀來表現，或以八卦陰陽圖來展示。圖書學的數與象是一體的，象是內含一定數的象，數是展示一定象的數。兩者協同，以直觀形象的手法表現了太極、陰陽、四象、八卦及萬物的生成變化內涵。從它們的狀態可以看出象數與義理的融合，而不專注於卦爻象數。圖書派和漢易象數派為甚麼會有這種區別？其原因是多方面的，其中最重要的一點是二者形成的學術背景不同。漢代經學，倡導訓詁、考據之類；宋學重義理，闡發微言大義，探尋天地萬物本體。這種差異，就催生了不同的易學象數。

漢易象數為了解經，雜糅各種象數體例，其弊彰顯，正如朱熹所說，「其說雖詳，然其不可通者終不可通，其可通者又皆附會穿鑿而非有自然之勢」[1]，因而逐漸衰弱式微。宋圖書之學，因其圖式象數，遵循義理的邏輯，而成就其生生不息的文化意義，故而受到後世更多的重視而廣為流傳。

當然，易圖之學與漢易象數派並非沒有瓜葛。實際上，易圖之學是在漢易象數學基礎上發展起來的，是對漢易象數學的一種變通。如宋代的太極圖，即是對漢易象數太極說的圖示，河圖、洛書與漢代象數學中的生成數、九宮圖也有直接的關聯，至於卦變圖，也是在漢卦變說基礎上總結繪製而出。可以

---

1　[宋]朱熹：《雜著・易象說》，《晦庵先生朱文公文集》卷六十七，《朱子全書》第 23 冊，上海：上海古籍出版社、合肥：安徽教育出版社，2002 年，第 3255 頁。

說,沒有漢象數易學,也不可能產生如此繁盛的宋易圖書學。

## 27. 如何理解易圖的思維方式?

易圖包含着很多思維方式,比如演繹邏輯思維,整體思維,陰陽交易、陰陽變易的辯證思維和直觀意象思維等。

演繹邏輯是從某個前提推出結論的推理邏輯。例如先天圖,講究的是八卦或六十四卦生出之序。從其產生來看,實際上就是一個演繹過程。朱熹稱其畫卦之法,是由黑白兩畫示兩儀,兩儀各一分為二成四象,四象再一分為二為八卦,八卦再分至六十四卦。此為「一分為二」演繹法。理論上,我們還可再推,以至七畫卦、八畫卦⋯⋯乃至無窮。從先天圖運用的角度看,邵氏六十四卦先天圖是陽起於《復》、陰起於《姤》的循環反覆的卦氣圖,表明一個事物的終始過程。四時運行、社會人事和歷史變更,皆可按此卦氣圖一一推演,如春夏秋冬四季,知春之後必為夏,非待夏來臨才知夏。此為邵子「知來者逆」之意,亦是運用演繹推理。卦變圖,講的是卦與卦之間的變化關係,實際上也是從某個卦或某幾個卦出發,按照一定的變化規則而推衍六十四卦整個體系,展示的也是演繹邏輯進程。

整體思維是一種以整體系統觀點來觀照事物的思維。從易圖中我們也可以見證這種思維模式。陰陽魚太極圖,濃縮天地萬物為一個點,這個點中含陰陽兩儀、四象、八卦,表現為整體性結構。周氏太極圖,是由無極至萬物各圈組合而成的

太極圖整體，闡述了這個整體系統從無極至形質建構的發生過程，展現了這種過程的特點，即每一個展開的環節都是全過程的一個要素，每一個要素實又依存於整體，並且完整地體現整體的屬性、功能，所謂「五行，一陰陽也；陰陽，一太極也」[1]。用朱熹的話來說，這就是「物物一太極」，各環節各要素與整體是理一分殊的關係。因而，整體與各要素之間的關係，就不僅僅是整體與部分的關係，還是一般與特殊的關係。換句話說，這樣的整體性，是一般與特殊的整體性。

易圖還體現陰陽交易、陰陽變易的辯證思維。陰陽交易，是指對立的陰陽兩極間的相互吸引、交感。陰陽變易，指陰陽之流行變化，強調陰陽之間的彼此消長。先天八卦圖，左右各四卦，陰陽相錯，陽起震，陰起巽，陰陽一消一息，在變易過程中交合，因其互根而平衡。太極圖為陰陽黑白圖式，體現的亦是陰陽變化之狀；陰中有陽，陽中有陰，又呈現陰陽交易。河圖、洛書的天地生成數，一陰一陽交合而生五行；天數一片、地數一片，又有陰陽的變化流行。

易圖還具有直觀意象思維特徵。意象思維，簡言之，就是通過某種形象來表達、說明某種抽象的觀念或理則。這種意象思維的載體是某種形象的東西，可以是某種具體的事物，也可

---

1 ［宋］周敦頤著，陳克明點校：《周敦頤集》，北京：中華書局，1990 年，第5頁。

以是某種生動具體的符號。作為符號，乃包括能指和所指。能指即符號形式本身，是思維對象的載體。所指即符號內容，是符號所標示的對象。作為直觀意象思維的符號能指，常常有符號本身直接標誌或模仿的具體形象，一般稱為「指示義」；在指示義的基礎上產生新的符號內容，一般稱其為「內涵義」。[1]易學的內涵義是以單一或者複合的符號形態彰顯出來的。意象思維的作用機制和原理是通過符號象徵，引導感受者進入直覺或頓悟，把握意象背後的內涵。因其形象具體，省卻推理邏輯，所以意象思維常有直觀性特點。中國古代魏晉學說有「言」「意」「象」之辨，曾提出過「立象盡意」的命題。於易學而言，「象」主要指卦爻象，是一種陰陽爻組合而成的符號；「意」指符號背後的意義。「立象盡意」，即通過卦爻象的符號來把握卦爻辭，以得卦爻理義。宋代的易圖實際上也是種意象思維。與魏晉採卦爻象不同的是，它採取的是易圖符號。太極圖、先天圖、河圖、洛書的圖式，本質上是一種符號形象。太極圖是黑白陰陽兩儀的圓圈符號，先天圖是八卦（或六十四卦）的圓圈符號，河圖、洛書則是黑白點陣符號。這些易圖符號的指示義，都是陰陽的對立和統一。而它們的內涵義，則可為天地萬物。作為易圖的能指，實是天地自然的運行規律。理解能指的過程就是把握易圖符號象徵意涵的過程。

---

1　朱伯崑主編：《周易知識通覽》，濟南：齊魯書社，1993 年，第 903 頁。

## 第二節　河圖、洛書

### 28. 甚麼是河圖、洛書？經典文獻最初的記載是怎樣的？

河圖、洛書，原為先秦的祥瑞玉器。兩漢解之為八卦、九疇或龍馬負圖、神龜負文的神話傳說。宋代又以之為黑白點數陣圖。現在的河圖、洛書，主要是指宋代用黑白點標示的易學圖式。

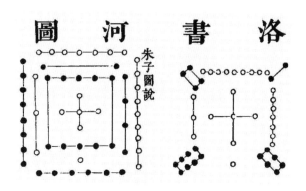

宋代河圖、洛書

按照朱熹的看法，河圖是總數五十五構成的黑白點易圖，有以下幾個形式內容特點：第一，總數五十五數。其數分佈為一與六共宗而居乎北，二與七為朋而居乎南，三與八同道而居乎東，四與九為友而居乎西，五與十相守而居乎中。其數來源於天地之數，天一地二，天三地四，天五地六，天七地八，天

九地十。天數五，地數五，五位相得而各有合。天一加五即地六，故一六共宗；地二加五即天七，故二七為朋；天三加五即地八，故三八同道；地四加五即天九，故四九為友。天數合計二十五，地數合計三十，凡天地之數五十五。《易學啟蒙》曰：此河圖之全數。[1] 第二，一二三四居內，六七八九居外；單數白點以象陽，偶數黑點以象陰。第三，河圖各方一生一成，五行分佈。即北方天一生水，地六成之；南方地二生火，天七成之；東方天三生木，地八成之；西方地四生金，天九成之；中央天五生土，地十成之。最終形成北水、東木、南火、中土、西金，順行相生。

洛書是總數四十五構成的黑白點易圖。圖中黑白點各數排列有序，戴九履一，左三右七，二四為肩，六八為足，五為中央。奇數陽居正，偶數陰居隅。對線兩數一九、二八、三七、四六皆合十。縱橫數之，又皆十五。

河洛說法，由來已久，但意指何物，眾說紛紜，莫衷一是。先秦有些經典文獻記錄有河洛之辭。如《尚書·顧命》載：「越玉五重：陳寶、赤刀、大訓、弘璧、琬琰，在西序；大玉、夷玉、天球、河圖，在東序。」《顧命》中所載，是周康王在大廟舉行即位典禮時陳列的珍寶貴器，河圖與大玉、夷玉並列，

---

1　[宋]朱熹：《易學啟蒙》卷一，《朱子全書》第 1 冊，上海：上海古籍出版社、合肥：安徽教育出版社，2002 年，第 213 頁。

大玉、夷玉是玉石，天球應也是玉石球狀物，按常理，河圖似乎也應為玉石類。

《論語‧子罕》云：「子曰：『鳳鳥不至，河不出圖，吾已矣夫！』」[1] 此為夫子感慨，希望鳳鳥至，河圖出。鳳鳥是一種祥瑞。河圖，相傳是黃河所出之圖，應也是種祥瑞。

《易傳》中亦有記錄河、洛之辭：「是故天生神物，聖人則之。天地變化，聖人效之。天垂象，見吉凶，聖人象之。河出圖，洛出書，聖人則之。《易》有四象，所以示也；繫辭焉，所以告也；定之以吉凶，所以斷也。」「神物」，指著龜，能窺視天地萬物之規律，故謂之「神」。「聖人則之」，是指聖人依著龜而效法自然。「天垂象」，講天地變化和天象，為顯示吉凶的徵兆，也是聖人效法之對象。河出之圖和洛出之書，既稱「聖人則之」，那麼，應也是某種展示吉凶的自然現象，與《論語》所指祥瑞之意是相符的。

《墨子》卷五《非攻下》稱：「赤鳥銜珪，降周之岐社，曰：『天命周文王伐殷有國。』泰顛來賓，河出綠圖，地出乘黃，武王踐功。」[2] 此言紂王無道，周王伐殷所遇祥瑞景象。綠通籙，是符命之文。河出綠圖，即河圖，與前面赤鳥銜珪等，乃作為周王伐殷的符命祥瑞之物。

---

1 [宋]朱熹：《四書章句集注》，北京：中華書局，1983年，第111頁。

2 吳毓江撰，孫啟治點校：《墨子校注》，北京：中華書局，1993年，第221頁。

《管子·小匡》篇中記載，齊桓公向管仲諮詢三代之君治國經驗，管仲回答：「夫鳳凰之文，前德義，後日昌。昔人之受命者，龍龜假，河出圖，雒出書，地出乘黃。今三祥未見有者，雖日受命，無乃失諸乎？」[1] 這裡，管仲引用昔日君主受命，出現圖、書、神馬（乘黃）三種祥瑞，說現在三祥都未出現，即使當上了國君，諸侯也不會擁戴的。可見《管子》亦以河圖、洛書為祥瑞。

先秦經典文獻記載的「河」「洛」到底是甚麼祥瑞之物？自古以來都有着不同的認識。或以為河、洛為寶器，或以為乃上古時代的地圖，等等。我們根據這些經典文獻的原始記載推測，河圖極有可能是黃河裡出現的一種帶有某種圖形的玉石。因其出於黃河，故以「河圖」名，而不以玉石名。這正如天球，實乃玉石物體，可能狀似圓球，色若天者，故稱之「天球」。河圖有可能因其為美玉，可以表徵吉凶，所以被奉為祥瑞之物。當然，僅據這些文獻，我們尚無法確切得出「河圖」「洛書」具體是甚麼的結論。對於河、洛究竟是否為宋標榜的黑白點圖案，其實既無法證實，也無法證偽。看圖，應以理看，合理者取之，否則棄之，而不應糾纏於其源之是非不清。

---

1　黎翔鳳撰，梁運華整理：《管子校注》，北京：中華書局，2004 年，第426 頁。

## 29. 漢宋之間關於河圖、洛書有甚麼說法？

漢代的河圖、洛書大致有二意：一是視河圖為八卦，洛書為九疇；二是將河出圖、洛出書變成「龍馬負圖，神龜負文」的神話傳說故事。

漢代開河洛說先河者為孔安國。孔安國在《尚書正義·顧命》篇針對「河圖」一事曰：「伏羲王天下，龍馬出河，遂則其文以畫八卦，謂之河圖。」孔安國構思了一個伏羲得河圖以畫八卦的傳奇情節，以河圖為八卦出現的先導。對於洛書，孔安國在《尚書正義·洪範》篇中解釋「天乃錫禹洪範九疇」時提到：「天與禹，洛出書，神龜負文而出，列於背，有數至於九，禹遂因而第之，以成九類。」此為孔氏所構建的夏禹時水中有神龜背負「洛書」的故事，以為洛書就是「洪範」九疇。

孔氏之說，在漢代有一定影響。今存《易緯》餘篇中有多處記載了「龍圖」之說。《周易乾鑿度》云：「河圖龍出，洛書龜予。」[1]《通卦驗》云：「河出龍圖，授帝戒曰：帝跡術感，其與侯房精謀。」[2] 漢代劉歆和班固亦認同孔氏之說。劉歆以為：「虙羲氏繼天而王，受《河圖》，則而畫之，八卦是也；禹治洪水，賜《雒書》，法而陳之，《洪範》是也。」[3] 班固還進一步指

---

1　林忠軍：《易緯導讀》，濟南：齊魯書社，2002 年，第 110 頁。

2　同上書，第 191—192 頁。

3　[ 漢 ] 班固撰，[ 唐 ] 顏師古注：《漢書》卷二十七，北京：中華書局，1962年，第 5 冊第 1315 頁。

明，《洪範》「初一日五行」至「畏用六極」凡此六十五字，皆《雒書》本文。東漢儒者王充也承襲此說：「說《易》者皆謂伏羲作八卦，文王演為六十四。夫聖王起，河出圖，洛出書。伏羲王，河圖從河水中出，《易》卦是也。禹之時得洛書，書從洛水中出，《洪範》九章是也。故伏羲以卦治天下，禹案《洪範》以治洪水。」[1]

漢儒以河圖為八卦、洛書為九疇，此說並不可靠。若以河圖為八卦，那麼先秦《論語》所載孔子感慨「河不出圖」，即是歎惜八卦未出。而我們知道，孔子時代八卦即已產生，豈不矛盾？《尚書·洪範》九疇指初一日五行，次二日敬用五事，次三日農用八政，次四日協用五紀，次五日建用皇極，次六日又用三德，次七日明用稽疑，次八日念用庶徵，次九日向用五福，威用六極。此是箕子向周武王提出的治理國家必須遵循的九條大法。孔安國套在大禹頭上，以為這是大禹治水時有神龜負文而得，豈不張冠李戴？先秦古籍未明洛書內容，又何以斷定六十五字《洪範》之文歸洛書？漢人之所以神化其說，可能是受兩漢鼓吹陰陽災異的讖緯學說的影響。「讖」是預示吉凶的隱語，「緯」是漢代附會儒家經義所作之書。漢人利用讖緯學說，增加河洛的神秘性和感染力。較之先秦，將河洛視為傳奇故事，這無疑已跨越了先秦河洛為祥瑞事物的界定。

---

1　[漢] 王充：《論衡》，上海：上海人民出版社，1974 年，第 428 頁。

對於河圖、洛書，宋代出現了兩種截然不同的看法。一種是肯定圖書，並以黑白點數來描繪河圖、洛書，用來解釋《周易》原理，探尋八卦之源。學術界稱之為圖書學派，以劉牧、朱熹等為代表。另一種是否定圖書，認為八卦產生於觀天察地，而與河洛不相干，此說以歐陽修為代表。

圖書學派的河圖、洛書是黑白點陣的易圖，與漢代稱圖書為八卦、九疇和傳奇故事有着根本的不同。宋代圖書學派的河圖、洛書說主要包括以下幾個內容：

第一，河洛是「圖十書九」還是「圖九書十」引發爭議。北宋劉牧所倡河圖，為一至九的自然數，總數為四十五；洛書為一至十的自然數，總數為五十五；於是稱之為「圖九」「書十」。隨後，王湜、朱震、朱元升、李簡、薛季宣等俱襲其說。南宋蔡元定以為劉氏把河圖和洛書顛倒了，主張以十數圖為河圖、九數圖為洛書，即以五行生成之十數圖為河圖，稱為「圖十」，以九宮九數圖為洛書，稱為「書九」。其理由有三：一是漢代孔安國、劉向父子、班固等諸儒，皆認為河圖授伏羲，洛書賜禹；二是關子明、邵康節皆以十為河圖，九為洛書；三是《繫辭》說「天地之數五十有五」，此數字是八卦產生的根據，與漢儒所述伏羲據河圖而畫八卦之意相符，而洛書應為九宮之數圖，因為此數剛好與漢儒所言夏禹據洛書陳九疇之數合。朱熹亦同此說，將「圖十書九」載於其《周易本義》卷首，遂成為南宋以來「圖十書九」的流行說法。

第二，河圖、洛書的圖式結構和思想內涵的具體內容方面，宋儒有了詳細的論述，而不再像漢儒那樣簡單地將河圖與八卦、洛書與九疇配對。

從結構上看，河圖、洛書都是五居中，河圖一六、二七、三八、四九居四方，洛書則以單數居四正，偶數居四隅。何以五居中？五與周邊各數關係如何？劉牧以為，中五為天地之數的天五，此中五可上駕天一而下生地六，下駕地二而上生天七，右駕天三而左生地八，左駕地四而右生天九。蔡元定、朱熹在《易學啟蒙》中作了描述，認為中五代表五數之象，即河圖的天一、地二、天三、地四及其中一點，洛書四正之一、三、七、九點及其中一點。同時，中五也是數字之五，河圖之一二三四生數居五象本方之外，而六七八九十因五而得，附於生數之外；洛書之一三七九居五象之外，二四六八因五而附於奇數之側。[1]

河圖與五行生成數、洛書與九宮數緊密結合。宋儒已明確將五行生成數作為河圖的重要內容，即一六為水居北方，二七為火居南方，三八為木居東方，四九為金居西方，五十為土居中央；將九宮數作為洛書之排列。

其實，五行數早在《尚書‧洪範》篇中就有提到，即一水

1　[宋]朱熹：《易學啟蒙》卷一，《朱子全書》第1冊，上海：上海古籍出版社、合肥：安徽教育出版社，2002年，第213—214頁。

二火三木四金五土之數。《禮記‧月令》和《呂氏春秋》已見冬六夏七春八秋九之五行數。至漢代，五行生成數已極為普遍。如《易緯‧乾坤鑿度》載：「天本一而立，一為數源，地配生六，成天地之數，合而成水性。天三地八木，天七地二火，天五地十土，天九地四金。」[1] 班固《漢書‧五行志》云：「天以一生水，地以二生火，天以三生木，地以四生金，天以五生土。五位皆以五而合，而陰陽易位，故曰『妃以五成』。」[2] 鄭玄注《繫辭》云：「天一生水於北，地二生火於南，天三生木於東，地四生金於西，天五生土於中。陽無偶，陰無配，未得相成。地六成水於北，與天一并；天七成火於南，與地二并；地八成木於東，與天三并；天九成金於西，與地四并；地十成土於中，與天五并也。」[3] 但觀漢儒所述，言五行數不及河圖，言河圖不及五行數，二者並未融合，將五行生成數納於河圖，應是宋人的傑作。

宋代洛書九宮數，其來源可能也非無中生有，因其與漢明堂九宮數極為相似。《大戴禮記‧明堂》篇稱：明堂者，古有之也。凡有九室。九室之制，二九四，七五三，六一八。《周

1 林忠軍：《易緯導讀》，濟南：齊魯書社，2002 年，第 126 頁。

2 [漢] 班固撰，[唐] 顏師古注：《漢書》卷二十七，北京：中華書局，1962年，第 1328 頁。

3 [漢] 鄭玄：《周易鄭康成注》，《文淵閣四庫全書》第 7 冊，台北：商務印書館，1986 年，第 143 頁。

易乾鑿度》中已有「太一行九宮」說法，太一所行九宮排列，
與宋儒所倡洛書排列相同。1978 年在安徽阜陽雙古堆汝陰侯
墓出土太乙九宮占盤，證明漢代文獻關於九宮的記載是有根據
的。宋儒口中的洛書九宮之法可能有一定淵源，但漢儒未言
九宮即洛書，洛書即九宮，把九宮與洛書等同，恐怕是宋代的
傑作。

　　第三，宋儒還對河圖與洛書的關係作了表述。南宋朱熹、
蔡元定以為：「河圖主全，故極於十……洛書主變，故極於
九。」[1] 河圖以五生數統五成數而同處於方，蓋揭其全以示人而
道其常，此為數之體。洛書以五奇數統四偶數而各居其所，蓋
主於陽以統陰而肇其變，此為數之用。河圖主常，洛書主變；
河圖為體，洛書為用。

　　第四，在河洛與八卦關係上，宋儒作了較漢儒更為深刻的
描述。宋儒圖書派大多以為河、洛與八卦密切相聯，但究竟是
河圖還是洛書，或是二者皆為八卦之源，則有不同見解。一種
認為河圖、洛書皆為八卦之源。劉牧在《易數鈎隱圖》中描述
了河圖則八卦之法，他說：「原夫八卦之宗，起於四象。四象
者，五行之成數也。水數六，除三畫為坎，餘三畫布於亥上，
成乾。金數九，除三畫為兌，餘六畫布於申，成坤。火數七，

---

1　[宋] 朱熹：《易學啟蒙》卷一，《朱子全書》第 1 冊，上海：上海古籍出版
社、合肥：安徽教育出版社，2002 年，第 214 頁。

除三畫為離，餘四畫布於巳上，成巽。木數八，除三畫為震，餘五畫布於寅上，成艮。此所謂四象生八卦也。」[1] 劉氏以八卦的卦爻陽表一、陰表二來計算八卦的卦畫數，然後將其河圖各成數配予八卦數以成八卦。另一種以為，河圖為八卦之源，洛書為《洪範》之源。此以朱熹、蔡元定為代表，二人在《易學啟蒙》中闡述了河圖則八卦之法：「析四方之合以為乾、坤、離、坎，補四隅之空以為兌、震、巽、艮者，八卦也。」[2]

第五，河洛真偽辯。宋代圖書學派大多認同河圖洛書的真實性，歐陽修等人則對河圖、洛書的真實性提出質疑。歐陽修以為，古籍中已明確指出聖人仰觀俯察而畫八卦，又說河圖、洛書則八卦，這是自相矛盾的，從而否定伏羲授河圖、畫八卦。他認為河圖應不在《易》之前。南宋薛季宣以為河、洛是地理圖，俞琰則認為是寶器。但這種質疑的聲音在當時來看並不是主流，反而在後來的清代學者中有着不同的反響。

## 30. 河圖、洛書的奧妙何在？在文化史上影響如何？

河圖、洛書固然有其費解之處，但其蘊含着陰陽、五行對待流行之理，融通太極兩儀四象八卦，為自然之法象，故不應

---

1 [宋]劉牧：《易數鈎隱圖·遺論九事》，《文淵閣四庫全書》第8冊，台北：商務印書館，1986年，第161頁。

2 [宋]朱熹：《易學啟蒙》卷一，《朱子全書》第1冊，上海：上海古籍出版社、合肥：安徽教育出版社，2002年，第215頁。

輕率否定。今人讀河、洛，應重點把握其奧義，看其合理可用
之處。

首先，河、洛充滿陰陽、五行對待流行之理。河洛的陰
陽有兩種：一以奇偶分陰陽，天數奇為陽，地數偶為陰；一以
生成數分陰陽，一二三四生數為陽，六七八九成數為陰。河圖
內圈生數一陽與二陰對，三陽與四陰對，外圈成數六陰與七陽
對，八陰與九陽對。各方以一六、二七、三八、四九生成數各
陰陽相錯而成。六由一與中五合而得，七由二與中五合而得，
八由三與中五合而得，九由四與中五合而得，各處其方，因此
陰陽相錯之中有方位相對。以五行看，上火下水，左木右金，
木火為陽，金水為陰，五行亦相對。故因其對而成其穩定結
構，奠定其體，此為河圖的對待。

但對待不離流行，流行不離對待。河圖的流行可從先天生
出之序和後天運行之序來辨別。河圖的生出之序，《易學啟蒙》
認為是始下，次上，次左，次右，以復於中，而又始於下。[1] 下，
指一六之水，上指二七之火，左指三八之木，右指四九之金，
中指五十之土。以數看，即天一、地二、天三以至地十之序。
以五行論，則為水木火金土。為甚麼是這樣一個次序？宋末元
初儒者胡方平解釋其因有二。一是陰陽錯綜而行。天一生水

---

1　[宋] 朱熹：《易學啟蒙》卷一，《朱子全書》第 1 冊，上海：上海古籍出版
　　社、合肥：安徽教育出版社，2002 年，第 214 頁。

之後為地二生火，是因為水陰生於天一，火陽生於地二，二者方生之時陰陽互根，有水即有火，錯綜而生其端。二是河圖五行產生的順序是先輕清而後重濁。胡方平引朱熹語說：「大抵天地生物，先其輕清以及重濁。」[1] 天一生水，地二生火，水火二物在五行中最輕清，金木復生於水火，土又重於金木，這就是為甚麼先水火而後木金的原因。可見，河圖的生出之序，雖為流行，但實質是基於五行的對待、一生俱生的關係。從後天陰陽運行次序看，河圖之天數一三五七九、地數二四六八十各相連，陰陽皆自內達外，陽奇一、三、七、九，陰偶二、四、六、八，皆自微而漸盛，陰陽一消一息流行不殆。五行運行體現自北而東左旋相生的規律，即北方水生東方木，東方木生南方火，南方火生中央土，中央土生西方金，左旋一周而金復生水。然而從對待之位看，則北方一六水剋南方二七火，西方四九金剋東方三八木，而相剋者已寓於相生之中。可見，流行不離對待。

洛書也是對待流行之一體。洛書九數方位本相對，一三七九者，四奇數之陽，各居其中五本來方位之外；而二四六八者，四偶數之陰，各從其類以附於四奇數之側。六與一、七與二、八與三、九與四因五而使各自一奇一偶陰陽相錯。此為

---

1　[元] 胡方平：《易學啟蒙通釋》卷上，《文淵閣四庫全書》第 20 冊，台北：商務印書館，1986 年，第 666 頁。

對待。洛書五行流行次序為右轉相剋，即水剋火，火剋金，金剋木，木剋土，右轉一周而土復剋水。流行順序自北而西，右轉固相剋，然而從對待之位看，則是東南方四九金生西北方一六水，東北方三八木生西南方二七火，其相生者已寓於相剋之中。此可見對待中有流行。

河圖、洛書所表徵的對待流行之理，清代江永曾用以解釋音律有關現象。江氏以為，五音（宮商角徵羽）本於河圖數，具體為一六羽水、二七徵火、三八角木、四九商金、五十宮土。五音按河圖運行次序相生。不僅如此，江永還發現河圖五音數隔八相生，河圖數若從一至八，五音即從羽音至角，二音相生；若從二至九，五音即從徵音至商音，亦是二音相生。世傳律呂，隔八相生。律隔八實隔七，由此律順數至彼律為第八位，如子至未，黃鐘宮生林鐘徵；未至寅，林鐘徵生太簇商之類。簡單以十二地支來看，即如自子本支起一數，子丑寅卯順數至八位未，又自八位未起一數，順數至第二個八位寅，如此最終形成子未寅酉辰亥午丑申卯戌巳（子）之生序。江永認為，河圖五間之數即含律呂隔八相生之理。然而江氏對隔八相生內在的機理闡之未詳。筆者以為，先將十二支分陰陽，將十二地支方位配以河圖方位。因陽起於子，左極於巳，陰起於午，右極於亥，故子一陽，丑二陽，寅三陽，卯四陽，辰五陽，巳六陽，此是河圖之左陽一片；午一陰，未二陰，申三陰，酉四陰，戌五陰，亥六陰，此是河圖之右陰一片。依河圖陰陽

互根、對待之理和河圖數之生出次序，有天一必有地二。如此，可知由一陽子生二陰未，二陰未生三陽寅，三陽寅生四陰酉，四陰酉生五陽辰，五陽辰生六陰亥。亥於陰極，則復生一陰午。一陰午生二陽丑，二陽丑生三陰申，三陰申生四陽卯，四陽卯生五陰戌，五陰戌生六陽巳，其陰剝盡則陽來，其陽大盛則轉陰。氣極於六，窮上反下，復命歸根。江永的《河洛精蘊》，敘說河圖五音之數即含隔八相生之理。

其次，河、洛蘊含太極兩儀四象八卦之象。河圖之奇偶數各相連，陰陽皆自內達外，由微而盛，恰似一太極圖，圖中陰陽兩片，既對待成體，又流行消息。明代來知德稱之為太極河圖。兩儀，即河洛黑白兩點兩片。四象，即河洛生成數構成一六太陰、二七少陽、三八少陰、四九太陽四象，又為四方五行水火木金四象。

則河圖可為先天八卦。如何則法？朱子《易學啟蒙》和胡方平《易學啟蒙通釋》有詳述。八卦的產生，若從畫卦的角度看，從太極至兩儀到四象最後生成八卦，是按乾、兌、離、震、巽、坎、艮、坤之序生出，可排成一橫圖。乾、兌由太陽生，艮、坤由太陰生，巽、坎由少陽生，離、震由少陰生，分為四大塊；而河圖也是生成數相合分為太陽、太陰、少陽、少陰四大塊；二者在結構之體上，是相通的。河圖北水東木，此為太陰少陰之位，陰主靜而守其常，故把河圖的一、六太陰安上橫圖的太陰坤、艮，河圖的三、八少陰安上橫圖的少陰離、

震,即太陰對太陰,少陰對少陰。河圖的南和西分別為火和金,為少陽太陽之位,南方少陽本應安上橫圖的少陽坎、巽,西方太陽本應安上橫圖的太陽乾、兌,如此四象才相符,但因陽主動而通其變,太陽、少陽在河圖變八卦時會發生易位。因此,河圖的南火二、七少陽之位,安上橫圖的太陽之乾、兌;河圖的西金四、九老陽之位,只能安上橫圖的少陽坎、巽。如此看來,先天八卦與河圖之間的這種相符,是立於陰靜陽動的基礎上的。看似牽強,但其說可通,不失至理,自然而為。

河圖還可與後天八卦配。文王八卦圖中,坎離當南北之正、子午之中,兩卦各當水火之一象。離當地二、天七之火而居南,坎當天一、地六之水而居北。其他六卦,每卦也當一象。震卦為木之生,當東方天三之木。巽卦為木之成,當東南方地八之木。兌為金之生,當西方地四之金。乾為金之成,當西北方天九之金。艮為土之生,當東北方天五之土。坤為土之成,當西南方地十之土。又把坤、艮配中宮之五、十,因土寄旺於四季。其卦實與河圖合。

洛書亦可配合八卦。先天八卦圖的乾南、兌東南相當於老陽九、四之位。離東、震東北相當於少陽三、八之位。巽西南、坎西相當於少陰二、七之位。(洛書少陽、少陰之位與河圖異。)艮西北、坤北相當於老陰六、一之位。

最後,河、洛為自然之法象。前述河洛含太極兩儀四象八卦之象理,對待流行,反映了宇宙造化之規律,是天地萬物

內在數理。河圖生成數全，五行俱生，形質已成，對待成萬物之體，故常以河圖為靜為體。洛書陳四象八卦之象，氣運流行，故常以洛書為動為用。河圖辨陰陽之交媾，洛書察甲運之興衰，相資以為體用。河、洛是自然法象，亦是人世之法則。如中國傳統堪輿理論有四獸之說，即東青龍、南朱雀、西白虎、北玄武。朝南宅居之地宜四獸高低有秩，左高右低，前空後實。此實含河圖奧義。觀河圖東邊三陽內而八陰外，南邊二陰內而七陽外，西邊四陰內而九陽外，北邊一陽內而六陰外。北、東皆陽在內陰在外，南、西皆陰在內陽在外。《葬經》云：「夫陰陽之氣，噫而為風，升而為雲，降而為雨，行乎地中則為生氣。夫土者氣之體，有土斯有氣，氣者水之母，有氣斯有水，經曰土形氣行，物因以生。」[1] 生氣即是陰陽和合之氣。陽為起為升為實，陰為伏為降為虛。故青龍玄武內陽氣充足而外土高昂，朱雀白虎內陰氣沉浸而外土低曠。四獸高低皆有至理。由此可見自然法象之一斑。

河圖、洛書在文化史上有着重要地位。河、洛不僅在宋代是圖書學派的核心討論主題，成為易學上的顯學，而且還在某種程度上引導着後世象數易學的發展。南宋以降，後世談象數易學者幾乎都未能繞過河洛，或褒或貶，都將河洛視為易學重頭加以辨析。宋末元初俞琰《讀易舉要》認為，前人並未指明

---

1　[晉] 郭璞：《葬書》，《文淵閣四庫全書》本。

河圖、洛書與《易》大衍之數和天地之數的關係，此關係多為後人所附會。元錢義方《周易圖說》認為伏羲作卦，非由圖、書出。清黃宗羲《易學象數論》以為河、洛為四方所上圖書。黃宗炎《圖書辨惑》以河、洛為地理方冊，載山川之險夷、壤賦之高下，原與作《易》無關。清胡渭《易圖明辨》認為圖、書不過為《易》興先至之祥，伏羲氏作《易》之本不專在圖、書，天地之數、生成之數皆非河圖。清毛奇齡《河圖洛書原舛篇》以圖為規畫、書為簡冊，未嘗實指其內容為何。近代以來，疑古派則以顧頡剛為代表，徹底否定河、洛。與此同時，肯定和崇尚河、洛者亦不乏其人。元吳澄、胡一桂等承朱子之說，堅信河圖與《易》相關，駁疑古之論。明來知德《周易集解》、清李光地《周易折中》、胡煦《周易函書》、江永《河洛精蘊》亦對河、洛之說多有發明。民國杭辛齋重視河、洛，多發前人所未發。眾多不同的聲音，逐漸形成了一種獨特的河、洛易學文化。

## 第三節　先、後天圖及其他

### 31. 甚麼是先天圖、後天圖？其象數內涵如何？

所謂先天圖，是指伏羲於無文時期依自然所畫，非人力有意編造，但又盡備天地生物演化道理之圖。先天圖，主要指的是以乾、坤、坎、離為四正卦的易學圖式，包括伏羲八卦次序圖、伏羲八卦方位圖和伏羲六十四卦次序圖、伏羲六十四卦

方位圖等。後天圖，即文王八卦圖，指以震、離、兌、坎為四正卦，以表現萬事萬物之跡的易學圖式。兩類圖為北宋邵雍所推崇。這裡先着重分析伏羲八卦方位圖和伏羲六十四卦方位圖，二圖示如下：

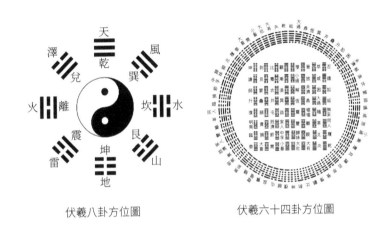

伏羲八卦方位圖　　　　　　　伏羲六十四卦方位圖

　　伏羲八卦方位圖與伏羲六十四卦方位圖內涵頗有相似之處，後者是在前者的基礎上演生而成，後者的內八卦就是前者，二者所含的意蘊也頗為相似。

　　這兩圖的內涵，大體可以從圖的「象」與「用」兩方面來闡述。

　　象，即指圖的結構形式。伏羲八卦方位圖，乾居上，坤居下，離居左，坎居右，兌居左上，震居左下，巽居右上，艮居右下。乾坤坎離居四正，兌艮震巽居四隅。以縱中軸線看，左邊震、離、兌、乾，陽爻漸多而陰爻漸少；右邊巽、坎、艮、

坤，陰爻漸多而陽爻漸少。以八卦相對的方位看，兩卦剛好陰陽相對，符合《說卦傳》所謂「天地定位、山澤通氣、雷風相薄、水火不相射，八卦相錯」。上之乾與下之坤對，即「天地定位」。左上之兌與右下之艮對，即「山澤通氣」。左離與右坎對，即「水火不相射」。左下之震與右上之巽對，即「雷風相薄」。

伏羲六十四卦方位圖的外圓圖，是六十四卦所佈一圓圈。左邊三十二卦的內卦為乾、兌、離、震，外卦以乾、兌、離、震、巽、坎、艮、坤的次序自上而下佈於四內卦之上，形成復至乾卦的半個圓。這一邊，整體來看，從復至乾，為陽爻漸多而陰爻漸少。右邊也是三十二卦，內卦自上而下為巽、坎、艮、坤，外卦以乾、兌、離、震、巽、坎、艮、坤的次序自上而下佈於四內卦之上，形成自姤至坤的半個圓。這一邊，從姤至坤，為陰爻漸多而陽爻漸少。兩個半圓合在一起即是伏羲六十四卦圓圖，圖左的三十二卦與圖右的三十二卦陰陽相對，陰陽爻數相等。

再看伏羲六十四卦方位圖的內方圖。橫列下卦自下而上分別為乾、兌、離、震、巽、坎、艮、坤，橫列上卦自右而左分別以乾、兌、離、震、巽、坎、艮、坤的次序一一佈於下卦之上，由此形成方圖。方圖乾居右下西北方，坤居左上東南方，形成對卦。泰居左下東北方，否居右上西南方，形成對卦。自乾至坤的斜線，自下而上分別為乾、兌、離、震、巽、

坎、艮、坤八個卦。自泰至否的斜線，自下而上分別為泰、損、既濟、益、恆、未濟、咸、否八個卦。

先天圖有着豐富的思想內涵。首先是體現了陰陽對待思想。伏羲八卦方位圖及六十四卦圓圖，其圖左右兩邊卦皆相錯，陰陽爻總數相等。左、右邊的陰陽爻是相對的。東邊一畫陰，便對西邊一畫陽。東邊本皆是陽，西邊本皆是陰。東邊陰畫都來自西邊，西邊陽畫都來自東邊。如姤在西，是東邊五畫陽過來；復在東，是西邊五畫陰過來，如此形成兩邊陰陽各各相對。所以說：「易是互相博易之義，觀《先天圖》便可見。」[1]「博易」，即是指陰陽間的交易對待。

方圖也是對待之體。伏羲六十四卦方圖所示為「天地定位，否泰反類。山澤通氣，損咸見義。雷風相薄，恆益起意。水火相射，既濟未濟」[2]，四象相交成十六事，八卦相蕩為六十四卦。方圖中的西北角乾與東北角坤，是天地定位。東南角泰與西南角否，是否泰反類。次乾是兌，次坤是艮，艮兌對待，是山澤通氣。次否之咸，次泰之損，為咸損陰陽相對，為咸損見義。次兌是離，次艮是坎，是水火相射。其他卦也是如此。

其次是體現了陰陽相含、陰陽互根思想。東西兩邊呈現

1　[宋]黎靖德編，王星賢點校：《朱子語類》卷六十五，北京：中華書局，1986年，第4冊第1614頁。

2　[宋]邵雍著，郭彧、于天寶點校：《邵雍全集》第4冊，上海：上海古籍出版社，2016年，第482頁。

陰中有陽、陽中有陰、陰陽相對的局面。邵雍稱：「無極之前，陰含陽也。有象之後，陽分陰也。陰為陽之母，陽為陰之父，故母孕長男而為復，父生長女而為姤。是以陽起於復，而陰起於姤也。」[1] 先天圓圖，自姤至坤是陰含陽，自復至乾是陽分陰。

最後是體現了陰陽變易思想。從圖表卦畫上看，左右圖都體現出陰陽消息之象。左半圈，自震至乾，震一陽二陰，離兌二陽一陰，至乾三陽，呈現陽逐漸增多而陰逐漸減少的趨勢，即陽長而陰消。達到乾時，即是乾之分。乾後接巽，到右半圈，巽二陽一陰，坎艮一陽二陰，陰長而陽消。至陰盛之際，則為坤之翕。所以，陰陽之間，一進一退，長、分、消、翕，又復為長，如此循環無端。

用，即是這些圖的功用，大體可以歸納為三個方面。第一，邵雍的先天圖，無論是伏羲八卦還是伏羲六十四卦圓圖，皆可代表天地萬物運行之序，用以解釋天地萬物之造化，形成一套完整的宇宙生發模式，並由此引申到歷史發展的演化之序，說明社會的治亂和世界的終始變化。自復至乾，為天地萬物始生至壯極的過程；自姤至坤，為天地萬物由壯而衰亡的過程。朱熹評述說：「一日有一日之運，一月有一月之運，一歲有一歲之運。大而天地之始終，小而人物之生死，遠而古今之

1 ［宋］邵雍：《觀物外篇》，《皇極經世書》卷十三，《文淵閣四庫全書》第803冊，台北：商務印書館，1986年，第1065頁。

世變，皆不外乎此。」[1] 邵雍「元、會、運、世」的宇宙歷史發展年表，就出自於此。第二，先天圖陰陽對待、交易，形成萬物生機之體，影響着中國古代哲學的思想內容，也是中國傳統堪輿理論的重要思想根基。第三，先天圖蘊含着人生處世之「心法」。圖皆自中起，天地萬物之理盡在其中，人之處世，亦應遵循事物變化之道，無過與不及。

我們再來看後天圖。

文王八卦圖，又稱後天八卦圖。震、兌、離、坎居四正，巽、乾、艮、坤居四隅。後天八卦何以如此排列呢？

宋代邵雍認為，《說卦》中「帝出乎震，齊乎巽，相見乎離，致役乎坤，說言乎兌，戰乎乾，勞乎坎，成言乎艮」一段

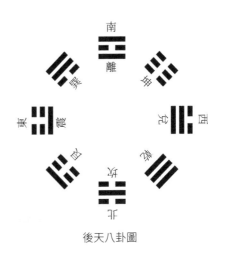

後天八卦圖

就是對此圖的解說。明代來知德認為：「蓋文王以伏羲之卦，恐人難曉，難以致用，故就一年春、夏、秋、冬方位，卦所屬

---

1　[宋]黎靖德編，王星賢點校：《朱子語類》卷六十五，北京：中華書局，1986 年，第 4 冊第 1616 頁。

木、火、土、金、水相生之序而列之。」[1]

筆者以為，文王八卦的排列，應是方位五行、時氣和卦象恰當一體，自然而為。東方屬木，當春時節，為萬物出生之地，震為雷為動，物生之初，多象徵草木類，故出乎震。東南屬木，當春夏之交，萬物畢出，為萬物潔齊之地，故謂之齊。巽為風，因風與木同氣，故巽居東南。南方屬火，當夏之季，離為火為明亮之意，故萬物皆能相見。西南屬土，當長夏之時，為萬物致養之地，坤為地，故坤置西南。西屬金，於時為秋，萬物告成於秋，物各得宜，不相妨害，因而為物之所說，兌為澤為毀折為說，與天同氣，與金似，故兌居正西；西北屬金，主立冬以後冬至以前，此時陰陽相薄，故曰「戰」，乾為天為金，故居西北；北屬水，於時為冬，物之所歸，坎為水為隱伏，故坎居北；東北屬土，立春前後，一年之氣於冬終止，而又交春，為萬物終始之時，艮為山為止，所以「成言乎艮」。

何以後天八卦中，木、金、土各二，而水、火各一呢？清代江永說：「木金土各二者，以形王也。水火各一者，以氣王也。」[2] 此說似有道理，今依之。

在先天圖與後天圖的關係上，先後天八卦可相有而不可

---

1　[明]來知德：《周易集注》，北京：九州出版社，2012 年，第 39 頁。

2　[清]江慎修著，郭彧注引：《河洛精蘊注引》，北京：華夏出版社，2006年，第 31 頁。

相無，是易之體用不可或缺的兩個部分。易之體，是以陰陽交合而形成。先天八卦圖中，以乾坤定南北，於象為縱；其他六卦列於其間，於象為橫；從而形成「天地定位，山澤通氣，雷風相薄，水火不相射」的對待相成的統一體，這是「對待以立其本」[1]。所謂「本」，指伏羲八卦之結構，是易之功用發揮的基礎和本體。易之用，是以四時進退之序為體現：後天八卦圖中以震、兌位東西為橫，為春秋之分，其他六卦縱於其間，以代表冬夏，從而迭為流行，循環無窮，發揮八卦作用。先天八卦以立易之本，後天八卦以致易之用，本立而用行，有其本才有其用，有其用才能體現其本，因而先、後天八卦密切聯繫，不可或缺。

## 32. 歷史上有幾種太極圖？其特徵與意義何在？

漢代稱太極為混沌之元氣，宋代朱熹又稱之為理。但宋代以前，只有太極之說，而未聞圖示。宋代周敦頤首出太極圖，此後歷朝歷代皆有人言太極圖，從而形成多種太極圖。歷史上的太極圖主要為四種：周氏太極圖、單圓太極圖、陰陽魚太極圖、來氏太極圖。

第一種，周氏（周敦頤）太極圖。此乃由太極、陰陽兩儀

---

1 [元] 胡方平：《易學啟蒙通釋》卷上，《文淵閣四庫全書》第 20 冊，台北：商務印書館，1986 年影印，第 693 頁。

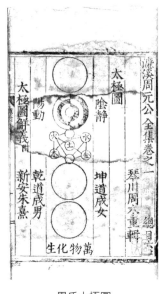

周氏太極圖

至五行、萬物多圓組合的一個太極圖。此圖為北宋道學鼻祖周敦頤所列之圖，載於楊甲《六經圖》、朱震《漢上易傳》、朱熹《太極圖解》。

周氏太極圖第一層是一個圓圈，表示混沌未分之太極。

第二層是黑白輪圖。據楊甲《六經圖》所載《周氏太極圖》的黑白輪，是左白，白中無黑，右黑，黑中有白，其右書「陰靜」二字，其左書「陽動」二字，下接第三輪五行生剋層。據南宋朱震《漢上易傳》，則為三輪黑白圖，左外輪是白，白中有黑，右外輪是黑，黑中有白，白屬陽，黑屬陰。朱熹改圖，將此輪按《漢上易傳》排，但把陽動二字列於圖左，而不居於下，表明陽中有陰，陰中有陽，此為太極生兩儀之意。

第三層是五行變合圖。楊甲《六經圖》列火木分居左之上下，水金分居右之上下，土居中，各有線聯繫。二輪之陽動繫於火水之間。意指陰陽交合，陽動化生金木水火土五行。《漢上易傳》之第三輪，陽動不直接在線上。朱熹之《周氏太極圖》，則用倒八線聯繫第二輪和第三輪，代表陰陽化生五行。

筆者以為，楊甲《六經圖》，第二層和第三層各自為是，且第二輪黑白分明，似乎更符契周氏太極圖。以周氏太極圖之本意來看，太極圖各層間都未有線如此聯繫，說明各層應是獨立的，不相雜合；且第二輪黑白分明表明陰陽化生五行前，陰就是陰，陽就是陽，陰陽各為陰陽之意。經過朱熹的改訂，第二層黑白相間，已是陰陽交感，又添第二層與第三層之間連線，表明陰陽生五行。既然陰陽交感，五行已生，那第二層豈不與第三層意蘊不分明？朱子打破各層的獨立，其實未必符合周氏太極圖原貌。

第四層是乾坤萬物生化圖，意指陰陽五行之精凝而化生乾坤男女兩大類事物，再化生萬物。

總的來說，周氏太極圖展現了太極至萬物的宇宙生成之過程，蘊含着天地萬物生存之理。朱熹說：「至於先生然後得之於心，而天地萬物之理，巨細幽明，高下精粗，無所不貫於是，始為此圖，以發其秘爾。」[1] 此圖式旨在表徵《周易》的基本精神，以圖式象數闡發義理，推動了宋代圖書象數易學的發展。後來的程朱理學繼承者受此圖及其思想的影響也是很深的。周氏太極圖在易學和理學中都有着不可忽視的影響和地位。

---

1　[ 宋 ] 朱熹：《再定太極通書後序》，《晦庵先生朱文公文集》卷七十六，《朱子全書》第 24 冊，上海：上海古籍出版社、合肥：安徽教育出版社，2002年，第 3654 頁。

　　第二種，單圓太極圖。此圖是一個空心圓，見之於林至《易裨傳》、俞琰《易外別傳》、張理《易象圖說外篇》等。空心圓，象徵無形無象之太極。本無形無象不可畫，然非要畫圖不可，只能勉強繪以空心圓。[1]

　　第三種，陰陽魚太極圖。此圖似魚，現代人因而稱之。正式的名稱，見於趙撝謙《六書本義》之「天地自然之圖」、趙仲全《道學宗主》之「古太極圖」。清胡渭《易圖明辨》也有收錄。

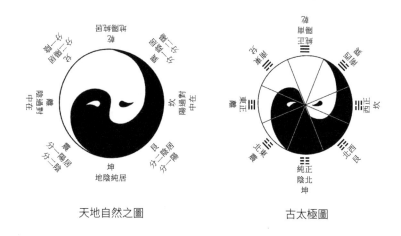

天地自然之圖　　　　　　　古太極圖

　　天地自然之圖為一大圓，內含黑白陰陽兩儀，從大圓邊生起，陽生子極於巳，陰生午極於亥，繞圓心由外而內互旋，形成一個反「S」形。圓中東西各有一小撇，即魚目，左白為陽，

---

　　1　參見朱伯崑主編：《周易知識通覽》，濟南：齊魯書社，1993 年，第 493 頁。

右黑為陰，兩小撇向外撇，象徵陰中有陽，陽中有陰。大圓外安先天八卦，於各卦上標注陰陽分數。古太極圖與天地自然之圖類似，所不同的是：黑白陰陽起點不一，古太極圖白起於東北丑艮之間，黑起於西南未坤之間；陰陽魚目方向亦不相同，古太極圖魚目向內撇；古太極圖以線長將圓劃分為八等份，外標注卦象與方位。

現在許多人繪太極圖，或將黑白左右易位，或將黑白生點錯置，或將陰陽魚目換成圓點，或將陰陽魚目標於南北，或去八卦符號與文字者，皆為後人錯標，不符本意。

此陰陽魚太極圖之意義，首先在於將周氏太極圖中太極至萬物的化生各層融合為一個圖式，名為太極，實陰陽兩儀、四象、八卦皆在其中，在哲理上說明了太極與陰陽不一不二、太極至八卦一生俱生的關係，深藏着太極含兩儀四象八卦的奧妙。其次，此圖將太極中陰與陽的相互對立，陰陽互根、轉化、盈虛消長等關係皆表露概括無餘。最後，此圖綜合了太極圖、先天圖，推動了圖書易學的發展和創新。

第四種，來氏太極圖。此圖為明代來知德自作之圖。

此圖中畫空心圓，以象太極。陰陽兩儀繞中心圓生起、旋轉，陽起於子，陰起於午，由內而外，由微而顯，由顯而著，一消一息。來知德曾用此圖示先天六十四卦圖，陰陽盈虛消長與先天圖似，可知此圖與先天圖有淵源。來氏書中又有「太極河圖」，河圖本一二三四居內，六七八九居外，內外單數陽

流行者氣　主宰者理　對待者數

來氏太極圖

連成一片，偶數陰連成一片，陽以白色，陰以黑色，五十居中不變，與此圖恰同。可見，從表現形式上看，來氏太極圖集太極圖、河圖、先天圖為一身，極大地表現了太極陰陽對待、流行。在來氏看來，伏羲先天主對待，文王後天主流行，而其太極圖則兼對待流行主宰之理。因而，其圖簡而意深，頗有創意。

## 33. 甚麼是卦變圖？如何理解卦變圖的象數意蘊？

卦變，是指某卦的陰陽爻變動，而引起此卦變成另一卦，展示卦與卦之間的變化關係，反映卦所自來的問題。用以表現如此卦卦關係的圖式即為卦變圖。卦變說發源於《周易》經傳，形成於漢唐，成熟分化於兩宋，發展於元明清。漢唐卦變說多以乾坤為本，藉助十二消息卦表達卦卦關係，用以詮釋《周易》「剛柔、上下、往來」等概念，以注經釋傳為旨歸。荀爽的乾坤升降卦變說、虞翻的十二消息卦變說為漢唐典型卦變說。但漢唐卦變說皆有文無圖。卦變圖始於宋代，有李挺之的變卦反對圖和六十四卦相生圖、朱熹的卦卦變圖、俞琰的六十四卦直圖，以及清人繪製的虞翻卦變圖等。各人的卦變圖不一樣，其具體的象數意蘊也有所不同。

　　虞翻卦變圖見於清黃宗羲《易學象數論》、胡渭《易圖明辨》等，大抵為清人根據漢末三國虞翻的十二消息卦變說繪製而成。虞氏卦變圖倡導乾坤生坎離，乾息而生復、臨、泰、大壯、夬，坤消而生姤、遯、否、觀、剝消息卦，再由消息卦生其他雜卦。一陰一陽之卦各六（復、師、謙、豫、比、剝，姤、同人、履、小畜、大有、夬），變自復、姤；二陰二陽之卦各九（臨、升、解、坎、蒙、明夷、震、屯、頤，遯、無妄、離、家人、革、訟、巽、鼎、大過），變自臨遯；三陰三陽之卦各十（泰、恆、井、蠱、豐、既濟、賁、歸妹、節、損，否、益、噬嗑、隨、渙、未濟、困、漸、旅、咸），變自泰、否；四陰四陽之卦各九（大壯、大過、鼎、革、離、兌、睽、需、大畜，觀、頤、屯、蒙、坎、艮、蹇、晉、萃），變自大壯、觀。[1]陰陽消息代表一年十二個階段的陰陽消長變化。虞氏稱：「變通趨時，謂十二月消息也。泰、大壯、夬，配春；乾、姤、遯，配夏；否、觀、剝，配秋；坤、復、臨，配冬；謂十二月消息

---

1　虞翻卦變易例本身並不是如此齊整，如其一陰一陽共十二卦，其中除豫自復卦、謙自剝卦外，比、履、小畜等皆非從一陰一陽消息卦來：履自訟，比自師，小畜自需。二陰二陽卦共三十卦，其中來自臨卦者有四，自觀卦者有四，自遯卦者有五，自大壯卦者有六。其他如中孚、小過、大過、頤等反覆不衰卦，非遵從幾陰幾陽自某消息卦來易例。三陰三陽卦亦不全準泰否卦而來，如豐卦為噬嗑卦所變來。虞氏卦變圖是清人的發明，出自清人之手。

相變通，而周於四時也。」[1] 卦變的根底在於十二消息之往來。虞氏稱：「謂十二消息。九六相變，剛柔相推，而生變化。」[2] 總的來看，虞氏的消息是以漢時卦氣為根據的，力圖通過十二消息將六十四卦打通連成一片。其「陽息陰消」採取後卦在前卦消息的基礎上母生子子生孫一氣呵成，若以後世所謂後天、先天之分來看，當屬於後天消息範圍。所以，虞氏卦變圖揭示的是十二消息基礎上的六十四卦卦變關係。

李挺之的李氏卦變圖見於南宋朱震《漢上易傳》、清胡渭《易圖明辨》等。其圖有二：一是變卦反對圖，一是六十四卦相生圖。我們先看其變卦反對圖。

李氏變卦反對圖的特點和奧秘在於：

第一，首宗乾坤，以乾坤為萬物之祖。乾坤為卦變根基，乾坤各逐一變其爻，以成他卦。秩序井然，排列清晰明了。

第二，每所變之卦，按反對卦列圖。反對卦，即是把一個卦顛倒來看，成兩個卦。如「坤卦一陽下生反對變六卦圖第四」，初爻所變之卦為復卦，二爻所變之卦為師卦，三爻所變之卦為謙卦，四爻所變之卦為益卦，五爻所變之卦為比卦，上爻所變之卦為剝卦。因復與剝卦、師與比卦、謙與益卦皆各

---

1　[唐] 李鼎祚：《周易集解》卷十三，《文淵閣四庫全書》第 7 冊，台北：商務印書館，1986 年，第 816 頁。

2　[唐] 李鼎祚：《周易集解》卷十五，《文淵閣四庫全書》第 7 冊，台北：商務印書館，1986 年，第 838 頁。

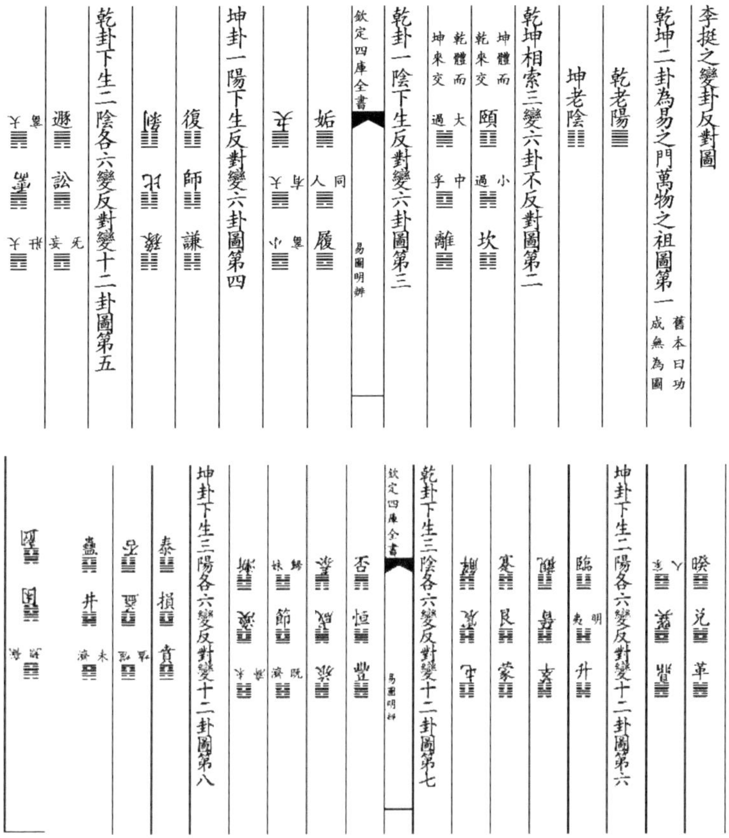

乾卦下生二陰各六變反對變十二卦圖第五　遯　訟　无妄　姤 …
坤卦一陽下生反對變六卦圖第四　復　師　謙 …
乾坤一陰下生反對變六卦圖第三　姤　履 同人 …
欽定四庫全書　易圖明辨
乾坤相索三變六卦不反對圖第二　坤體而乾來交過　大　中　頤　小　坎　離　乾體而坤來交過　孚
坤老陰
乾老陽
乾坤二卦為易之門萬物之祖圖第一　舊本曰功成無為圖
李挺之變卦反對圖

坤卦下生三陽各六變反對變十二卦圖第八　泰　損　賁　蠱　井 …
乾卦下生二陰各六變反對變十二卦圖第七　否　恒　豐 …
欽定四庫全書　易圖明辨
坤卦下生二陽各六變反對變十二卦圖第六　臨　明夷　升　蠱　蒙 …
�睽　兌　革 …

李氏變卦反對圖

成反對卦，故圖中成對顯示。餘仿此。此既反映了乾坤與所變之卦之關係，又反映了每一變成卦之間的反對卦關係，形成六十四卦猶如樹形的結構模式。

　　第三，其乾坤卦變反映了乾坤陰陽交感的思想底蘊。漢末

虞翻卦變說主張乾坤消息流行，反映的是後天陰陽消息之道。李氏主張以乾坤相索而變成他卦，如其圖中大過、中孚、離三卦本體為乾卦，坤與乾交，則乾卦初六陽爻變則成大過卦，乾卦三四爻變則成中孚卦，二五爻變則成離卦，故其以為「乾體而坤來交」。

我們再看李氏六十四卦相生圖。

李氏六十四卦相生卦變圖，首先強調以乾坤為宗，視乾坤為變生之根本；其次由乾坤經三爻變生復姤、臨遯、泰否等三組辟卦；最後由辟卦變生他卦。我們將六畫之卦的爻位配 123456 看其卦變法則。李氏卦變相生是按主變之爻自下而上變起。其一陰一陽卦，主變之爻為乾坤初交之爻，即復姤之初爻，一爻變動，按 23456 順序變化。二陰二陽卦，主變之爻為乾坤所變之下二爻，即臨初、二兩陽爻，遯初、二兩陰爻。其變法：前二變為一爻變。先變二陰或二陽之上面一爻（下面一爻不動），即臨之九二、遯之六二，按 3456 窮盡爻變。再變下爻（上面一爻不動），即臨之初九、遯之初六，亦按 3456 窮盡爻變。後三變，為初、二兩爻同變，按 34、45、56、35、46、36 順序自下而上變完。三陰三陽卦，主變之爻為內卦三爻。其變法：先變最上面一爻，次中一爻，最後下一爻，按 456 變出去。可見，其變法還是有相當的統一性，即將主變之爻（需兩爻變時，主變之爻為兩爻），自下而上逐爻變盡。

表面上看，李氏卦變與十二消息卦變具有某種相似性。李

李挺之六十四卦相生圖

乾坤者諸卦之祖

卦　姤
乾一交而為姤
凡卦一陰五陽者皆自姤卦而來姤一交五變而成五
同人　履　大有　夬　小畜

卦　復
坤一交而為復
凡卦五陽一陰者皆自復卦而來復一交五變而成五
師　謙　豫　比　剝

欽定四庫全書　易圖明辨

卦　四卦
凡卦二陰四陽者皆自遯卦而來遯五復五變而成十
遯　乾再交而為遯

臨　坤再交而為臨
凡卦四陰二陽者皆自臨卦而來臨五復五變而成十

第一　一變　明夷　震　屯
第二　二復　頤　坎
第三　三復　升　解
第四　四復　蹇　革　觀
第五　五復　艮　蒙　晉

凡卦四陽二陰者皆自遯卦而來遯五復五變而成十
四卦
第一　一變　訟　巽
第二　二復　无妄　大畜　鼎
第三　三復　中孚
第四　四復　家人　大壯
第五　五復　革　離

兌
第一　一變
第二　二復
第三　三復
第四　四復
第五　五復
睽　需

欽定四庫全書　易圖明辨

否　乾三交而為否
凡卦三陰三陽者皆自否卦而來否三復三變而成九
泰　坤三交而為泰
凡卦三陽三陰者皆自泰卦而來泰三復三變而成九

卦
第一　一變　歸妹　節　損
第二　二復　豐　既濟　賁
第三　三復　恒　井　蠱

卦
第一　一變　漸　旅　咸
第二　二復　渙　未濟　困
第三　三復　益　噬嗑　隨

李氏六十四卦相生圖

氏卦變圖和相生圖，都強調乾坤生消息卦，再由消息卦生其他
雜卦，此與虞氏十二消息卦變的思路類似；從卦變易例來看，
李氏卦變亦有採用幾陰幾陽卦自某卦的範式；從卦變結果來

看，李氏乾坤一爻變、二爻變、三爻變的卦變結果與虞氏卦變有相同之處。

實際上，李氏卦變圖與虞氏卦變圖的象數意蘊是有區別的。李氏卦變不主十二消息卦，而主復姤、臨遁、泰否六消息卦。其乾坤至消息卦的變法，強調乾坤相索動爻之變，而不是陽息坤陰消乾義。李氏消息卦生眾卦時，是自下而上的變法，採取幾復幾變的形式展開，卦變的順序採取的是主變之爻自下而上逐爻變化。在雜卦與消息卦的關係上，李氏此變法顯然沒有虞氏卦變突顯母生子、子生孫的消息之意，而是父母生子女，子女六子並列。一陰一陽、二陰二陽、三陰三陽消息卦變易例齊全、統一。六十四卦除乾坤和所用復姤等六消息卦外，餘五十六卦盡歸於各消息卦中，無重複也無變例存在，乾淨利索。總之，李氏不主十二消息，其卦變與虞氏有明顯分野。

李挺之為先天學倡導者邵雍之師。在先天學的視野下，李氏卦變圖無論是反對卦排列形式還是思想內容，都與邵雍先天易學具有高度的契合。先天、體用、變應、交變是先天易學的內在邏輯架構和思想進路。天地造化，卦畫之生，是乾坤分立天地兩儀變應、交易而最終形成六十四卦的過程，其間展示了自乾坤至六十四卦的先天消息。李氏卦變圖將消息卦及所生雜卦按反對卦排列的形式結構及其背後的乾坤定位思想，正契合了先天學乾坤變應、交易的思想觀點。李氏卦變的「消息」亦與先天學消息默然同契。李氏採十辟卦中的復、臨、泰、

姤、遯、否六卦作為消息卦。此六卦之內卦為震、兌、乾、巽、艮、坤，恰包含於先天八卦中。李氏卦變走的是有別於漢代卦變的路徑，開了先天卦變的先河。

朱熹卦變圖與李氏六十四卦相生圖極為相似。凡一陰一陽卦各六，皆從復姤而來，其排列自下而上即復、師、謙、豫、比、剝，姤、同人、履、小畜、大有、夬。二陰二陽卦前兩變相同，但朱熹卦變圖對李氏卦變圖二陰二陽後三變作了改變，以小過、萃、觀接臨、升。三陰三陽卦，朱熹將泰和否補全其變卦，以盡其變之窮。此外，朱熹多了四陰四陽卦、五陰五陽卦例，四陰四陽卦與二陰二陽卦、五陰五陽卦與一陰一陽卦卦變結果一樣，只是排列順序首尾顛倒。

朱熹卦變圖之所以對李氏卦變圖進行了修改，是出於對李氏卦變法則的糾正。在朱熹看來，「某之說卻覺得有自然氣象，只是換了一爻。非是聖人合下作卦如此，自是卦成了，自然有此象。漢上易卦變，只變到三爻而止，於卦辭多有不通處。某更推盡去，方通」[1]。漢上指南宋朱震。朱震卦變採李氏卦變說。李氏的卦變結果，一陰一陽卦、三陰三陽卦、二陰二陽卦的前兩變，無論是主變之卦與消息卦還是前後相鄰的復變卦之間，都是只換一爻（實是一卦內兩爻互換）。問題在於，二陰二陽

---

1　[宋] 黎靖德編，王星賢點校：《朱子語類》卷六十七，北京：中華書局，1986 年，第 1666 頁。

卦的後三變，如臨卦系第三變，李氏以為變成小過、萃、觀，如此則是以 3、4 為主自下而上兩爻同換；第四變為蹇、晉，是以 3、5 為主自下而上兩爻同換；第五變為艮，是以 3、6 為主變。如此是四爻同變，換了兩爻。朱熹將李氏後三變打亂重新編排。我們以臨卦系為例，朱熹第三變為小過、蹇、艮，其變成小過是以 3、4 為主，小過動爻變蹇、艮，其實只變了 4 爻；第四變為萃、晉，萃以 4、5 為主，動爻之變實只為 5 爻；第五變為觀，上升至 5、6 爻。朱熹卦變的臨、升、小過、萃、觀幾個復變大環節，主變之爻依次為 12、23、34、45、56，雖主爻為兩爻，後主與前主爻相連來看，則主變之爻卻只有一爻。其後三變將李氏之兩爻同換改為一爻變，如此「只是換了一爻」，變法簡約統一。李氏卦變列有一陰一陽、二陰二陽、三陰三陽卦例，雖未有重複之卦，其主變之爻止於下卦三爻，即朱熹所稱「只變到三爻而止」，未能極盡其變，驗之於《彖辭》多有不通。朱熹於是補充了四陰四陽卦和五陰五陽卦例。如此，自一陰一陽而至五陰五陽，朱熹將各卦極盡其變，以期克服李氏、朱震變止三爻，與《彖辭》不通之病。以換一爻的方法窮盡其變，如此卦變鋪陳而出，頗有「自然氣象」。

筆者以為，朱熹卦變圖雖在李氏卦變圖基礎上修改而成，但其旨趣卻與李氏相差甚大。李氏卦變具有鮮明的先天意蘊，而朱熹卦變卻無。朱熹在李氏、朱震基礎上修正二人不統一

的卦變法則，強調的是乾坤卦變成六十四卦的卦變有序性、條理性。朱熹又於《易學啟蒙》中基於變占法則列三十二卦變圖，反覆則為六十四圖，把四千零九十六卦併為一個整體，總而為一圖。自乾至坤從前往後，反之自坤至乾從後往前，卦變之順序相反，但卦數一樣，如此展現了由乾坤兩卦變至六十四卦再變至四千零九十六卦的「之卦」卦變的內在邏輯和奧義。變占圖直接目的是為變占而設，但其中的條理卻是與《本義》卦變圖一致。卦變圖揭示一卦變成六十四卦的內在象數條理，而變占圖只不過是朱熹將李氏卦變圖一爻變、兩爻變、三爻同變生消息卦的變法拓展至任意一卦變其他六十三卦，將卦變圖運用於變占的變法的符號展示。由此而言，朱熹的卦變反映的是之卦變占的意蘊。

宋末元初，俞琰吸收前人圖式，將各組卦變圖整合成一個圖，即先天六十四卦直圖。此見於《易外別傳》，《道藏》和《四庫全書》皆載有其圖。

此圖中，乾，純陽，居菱形之上；坤，純陰，居菱形之下。坎離，陰陽之交，坎為陰中含陽，離為陽中含陰，居乾坤之中。其餘六十卦，皆生於、分居乾坤上下之間。從上往下，第一層為乾。第二層一陰五陽之卦有六，第三層二陰四陽之卦加離有十五，第四層三陰三陽之卦有二十，第四層四陰二陽之卦加坎有十五，第六層五陰一陽之卦有六，第七層坤。上下、左右卦數皆對稱。

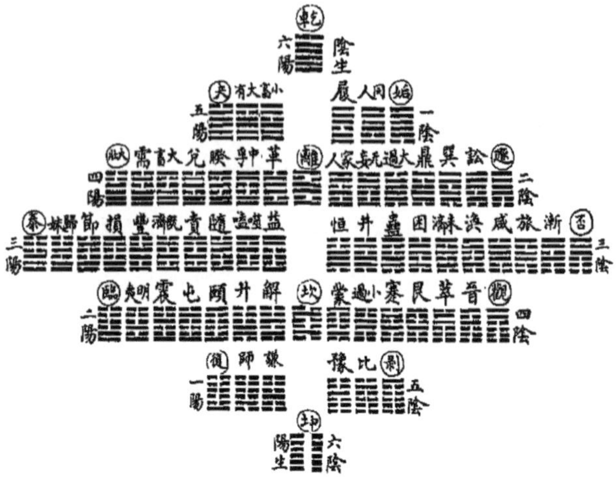

先天六十四卦直圖

以菱形圖中心軸看四周，各層對線無不一一陰陽相錯，如臨卦對遯卦、同人卦對師卦之類。以菱形中縱軸看各層左右，皆陰陽爻數相等，各層左右卦依次兩兩相反，如第五層左邊臨卦與右邊觀卦成反卦。十二辟卦皆位於各層始末，皆可一一變出中間各卦，其變化井然有序。以菱形中橫軸即第四層看，上下各層相應位之上下兩卦，無不為對卦之反卦關係。如第二層一陰五陽之履卦與第六層五陰一陽之豫卦為對卦之反卦（豫之對卦為小畜卦，小畜卦之反卦為履卦）。從坤左旋，自坤中一陽生而為復，逾臨、泰、大壯、夬，升至五陽，遂為六陽之純乾；自乾中一陰生而為姤，逾遯、否、觀、剝，降至五陰，遂為六陰之純坤。一升一降，上下往來，契合先天圖陰陽對待、

消息之道。四陰二陽與坎並列，四陽二陰與離並列，亦皆井然有條理。全圖六十四卦，毫無重出之病。

俞氏以此圖比擬人身結構，以此說明丹道修生之道。俞氏曰：「《易外別傳》者，先天圖環中之秘，漢儒魏伯陽《參同契》之學也。人生天地間，首乾腹坤，呼日吸月，與天地同一陰陽。《易》以道陰陽，故伯陽藉《易》以明其說。大要不出先天一圖，是雖易道之緒餘，然亦君子養生之切務。」[1] 先天六十四卦直圖就是一人身的先天圖。乾為天，坤為地，分居上下。離陽中含陰為日，坎陰中含陽為月，居乾坤之中。此於人身而言，首象乾，腹象坤，心象離，腎象坎，居人身之中。人身與先天圖之天地日月一一對應，俞氏由此建構了人身的先天圖。俞氏闡述六十四卦的先天內涵，引入丹道修生，故其象數意蘊與前人卦變又大為不同。

總體而言，卦變圖具有豐富的象數意蘊。卦變圖的結構，是由卦爻按一定法則變化，編織成一張巨大的若有生命之網。網的各支點之間，既各有其位，又相互依存，相互交通而生生不息。從思維角度看，其中蘊含着有序思維、整體思維、辯證思維等科學思維方法，不容忽視。從思想內涵來說，其中體現了陰陽交易變易、生生之謂易、通變思想等豐富的哲學理義，

---

1 [宋] 俞琰：《易外別傳並敘》，《道藏》第 20 冊，北京：文物出版社、天津：天津古籍出版社、上海：上海書店出版社，1988 年影印，第 312 頁。

有着莫大的人生啟示，亦值得借鑑。

　　當然，我們也應看到，六十四卦是代表天地萬物之符號，然而天地萬物之內在關係是否有如卦變圖一樣的交通規則，有如此嚴密的交通關係？換句話說，卦變圖是否為自然法象？這是值得進一步思考的。

# 第四章 《周易》義理思想

## 第一節 《周易》義理範疇與基本命題

### 34. 如何理解《周易》義理的成因與背景？

「義」，即意義、含義，「理」，即原理、道理。《周易》義理指《周易》卦象、卦名、卦辭、爻辭的文義、道理。

早期，《周易》有一項功能 —— 卜筮。那個時候人們遇到疑難的問題，喜歡占卜一下，問問天意，《左傳》中就記載了很多卜筮案例。於是，《周易》的卦爻辭也就自然地被認為是卜筮的占斷之語。然而，有識之士卻發現卦爻辭不僅僅是卜筮斷語那麼簡單，在其背後隱藏着一項重要內容 —— 德行修養。

這還要從周朝的天命觀說起。所謂的天命觀是指人們對上天神靈的觀點和認識。殷商時期，人們相信上天神靈具有超自然力量和權能，能夠支配和主宰人們的命運。以至於當武王伐紂之時，商紂王卻滿不在乎地認為自己有上天保佑，別人不

能拿他怎麼樣。但隨着殷商的滅亡、周朝的建立，西周的政治家們對夏朝、商朝興衰成敗的教訓進行了總結和反思，最後得出的結論是十分令人警醒的：夏、商兩朝滅亡的根本原因不是上天的問題，而是統治者失德。也就是說，夏、商兩朝後期的統治者們道德敗壞，魚肉百姓，結怨於民，最後他們被老百姓拋棄，也被上天拋棄，從而失去政權，失去天命。因此周朝初期的政治家如文王、武王、周公等人十分強調道德的重要意義，不厭其煩地告誡自己的子孫要吸取夏、商兩朝的教訓，居安思危，施行德政，只有這樣才能得到人民的愛戴和擁護，也才能得到上天的垂青和眷顧，所謂「皇天無親，唯德是輔。民心無常，惟惠之懷」[1]。

從上述可知，殷末商紂王的天命觀是非理性的，相信上天會永遠保佑自己，而不論自己德行的好壞。而周朝早期政治家的天命觀則是理性的，強調「天命靡常」[2]「惟命不於常」[3]，只有人的德行與上天匹配，才能得到上天的眷顧和保佑，即王者配天、以德配天。周初政治家鑑於夏、商二代的教訓，對於德行、德政的重視程度可謂無與倫比。他們在給《周易》繫卦爻辭的時候，同樣反覆申明了這一點。其結果就是，《周易》卦爻辭多是對道德修養意義、原理和方法的闡述。然而，當時

---

1 《尚書・蔡仲之命》。

2 《詩經・大雅・文王》。

3 《尚書・康誥》。

人們卻把《周易》當作占卜的書籍，卦爻辭理所當然地也就被認為是占斷之語了。「天不生仲尼，萬古長如夜」，直到春秋時期，孔子反覆研讀《周易》才發現其中蘊含着如此重要的秘密：《周易》原來是一部講述天人之道的寶典，其中蘊含着極為豐富的人道教訓和德行修養之旨。他感歎道：「《易》，我後其祝卜矣！我觀其德義耳也。」[1] 是說對於《易經》，我把占卜看成次要的，而主要是看重裡面的德義修養思想啊。後來，人們研究孔子的讀《易》報告「十翼」，發現孔子說得確實很有道理，於是在《易傳》的基礎上，順着孔子的思路，繼續發掘隱藏在《周易》卦象、卦名、卦辭、爻辭背後的文義和道理，深入闡發其中的人道教訓和德義思想，這就形成了《周易》義理學派。

### 35.《周易》義理有哪些範疇？

《周易》義理範疇是指關於《周易》義理的最一般的概念，是後人研讀《周易》的過程中創造出來並加以組織化的易學術語。這些術語具有高度的概括性，是分析《周易》義理的基本工具，反映了《周易》的基本原理和思維特點。下面擇要介紹《周易》義理的幾個範疇。

---

1　丁四新：《楚竹書與漢帛書〈周易〉校注》，上海：上海古籍出版社，2011年，第 529 頁。

一是太極。出自《繫辭傳》:「易有太極,是生兩儀,兩儀生四象,四象生八卦。」太,大也。極,盡頭,極限。太極,就本意而言,是指最終的極限。後人對太極有多種理解。有的認為太極指物質世界的本原,是元氣未分時的狀態,如唐代孔穎達《周易正義》:「太極謂天地未分之前,元氣混而為一。」[1]由太極分出陰陽二氣,而後逐步生出四象、八卦以及萬事萬物。有的認為太極指卜筮時,蓍草未分的狀態。《繫辭上》介紹了用於卜筮的大衍之數:「大衍之數五十,其用四十有九,分而為二以象兩……」太極即是指五十或四十九根蓍草混而未分的狀態。還有的認為太極是陰陽合體的狀態,如周敦頤《太極圖說》:「無極而太極。太極動而生陽,動極而靜;靜而生陰,靜極復動。一動一靜,互為其根;分陰分陽,兩儀立焉。」[2]

二是元亨利貞。出自《周易·乾》卦辭:「乾,元亨利貞。」《文言傳》認為「元亨利貞」是指乾卦的四種德性:始、通、美、正。於人而言,為「仁、禮、義、智」四德。後來,「元亨利貞」又被理解為並舉的一組範疇,如認為天之「元亨利貞」為「春夏秋冬」,地之「元亨利貞」為「木火金水」,又認為「元亨利貞」象徵着萬事萬物「生、長、成、終」的過程。

---

1  [魏]王弼、[晉]韓康伯注,[唐]孔穎達正義:《周易正義》,北京:中國致公出版社,2009 年,第 276 頁。

2  [宋]周敦頤撰,梁紹輝、徐蓀銘等點校:《周敦頤集》,長沙:嶽麓書社,2007 年,第 5 頁。

三是道器。出自《繫辭上》:「形而上者謂之道,形而下者謂之器。」老子說:「樸(道)散則為器。」「道」是看不到、摸不着、無形象的,是隱藏在事物背後的道理和法則;「器」是看得見、摸得着、有形象的,指具體的器物。道器關係即本質與現象的關係,有形的事物都是道器的合體。

四是象理。《繫辭上》說:「聖人立象以盡意。」「象」是描述具有共同特徵事物的徵象、類象,這裡指的是卦象。這句話是說,聖人以卦象的形式表達卦象背後的道理、意涵。《周易》由三部分組成:言、象、意。言指卦爻辭,象指卦爻象,意指卦爻辭、卦爻象所蘊含的義理。《繫辭傳》提出「書不盡言,言不盡意」,是說天下的道理是不可能全部寫出來的,已經寫出來的也不足以完全包含天地大道。因此只能以象的形式來「盡意」,彌補言語之不足。魏晉時期的王弼在《周易略例·明象》中說:卦象是用來表明卦義的,卦爻辭是用來解釋卦象的。學習《周易》首先要通過卦爻辭來理解卦象,再通過卦象來領悟卦義。卦義理解了,也就真正領悟了天地大道,才算是善易之人。

## 36.《周易》義理有哪些主要命題?如何理解其思想價值?

《周易》義理命題比較多,下面擇要作一介紹。

一是「自強不息,厚德載物」。語出《周易》乾坤兩卦《大

象傳》：「天行健，君子以自強不息」「地勢坤，君子以厚德載物」。《易傳》以乾為天，以坤為地，認為天的特性是健，地的特性是順。《易傳》由天道聯繫人事，指出人們要效法天的剛健不息，做到自強不息；效法大地之德，以博厚的德行承載萬物。「自強不息，厚德載物」實則是中華民族的內聖外王之道。自，指自己；強，強健。「自強」是向內求，是內求諸己，不斷戰勝自己的弱點、不合理的慾望，使自己的內在變得更加強大的過程。隨着自強的持續積累，人的德行也就不斷增加，其結果就是厚德。「載物」是向外的發用。這樣二者合起來就是內修諸己、外達諸人的內聖外王之道。

　　二是「一陰一陽之謂道」。《繫辭上》提出：「一陰一陽之謂道。」「一陰一陽之謂道」簡單說來指陰陽對立統一是宇宙萬物的普遍法則。「一陰一陽」是一種指代和象徵，就《周易》卦畫來講是指陰陽二爻，就卦象來說指代乾坤二卦，就數來講則是指奇偶二數。就具體物象而言，陰陽的指代範圍則更為廣泛，如《易傳》所列的：天為陽，地為陰；日為陽，月為陰；晝為陽，夜為陰；剛為陽，柔為陰；明為陽，幽為陰；男為陽，女為陰；君子之道為陽，小人之道為陰……也就是說自然社會的事物中存在着陰陽對立的兩個方面，這是宇宙的普遍規律。這啟發我們看待問題、分析問題要從正反兩個方面入手，這樣才能得出恰當、全面的結論。

　　三是「生生之謂易」。《繫辭下》云：「天地之大德曰生。」

又云:「日新之謂盛德,生生之謂易」,孔穎達疏曰:「日日增新。」[1] 按照孔穎達的看法,所謂「生」就是「日新」的過程;延伸於個人生活領域,就是不斷修煉自己,使德行不斷增長更新。「生生」是兩個「生」字疊用,進一步強調了這種意涵,指出君子要效法宇宙的不斷變化,不可懈怠,每天都要修養和提高自己的德行。「生生之謂易」表面上看是在說宇宙自然不斷有新的變化和發展,但實質上是要表達人應該效法天地的不斷變化,每天都要增進自己的德行。「日新其德」是孔子讀《易經》的心得和體會,但這種說法由來已久。如《大學》引述商湯在洗臉盆上刻字,時時警醒自己:「苟日新,日日新,又日新。」是說每天都要使自己身體清新,更要不斷修煉,使自己德行增益、煥然一新。《大學》又云:「《詩》曰:『周雖舊邦,其命維新。』是故君子無所不用其極。」是說周邦雖已年久,卻始終能做到自我更新,所以,君子要竭盡全力,想出一切辦法,不斷提高自己的德行。《尚書‧康誥》「作新民」,同樣是激勵人們棄舊圖新,日新其德。「日新其德」是基於對人類惰性和弱點的深刻認識提出的,人只要一鬆懈、一放逸,就可能做出失德之事,只有時時警醒自己,日日增進德行,方能走好人生之路。

---

1　[魏]王弼、[晉]韓康伯注,[唐]孔穎達正義:《周易正義》,北京:中國致公出版社,2009年,第262頁。

## 第二節　《周易》義理的核心精神

### 37. 怎樣概括《周易》義理的核心精神？

乾、坤是《周易》的門戶，是六十四卦中最為重要、最為核心的兩卦。《大象傳》對乾、坤兩卦義理作了一個整體的概括，即「天行健，君子以自強不息」「地勢坤，君子以厚德載物」。因為自然萬物都含納於天地之間，《周易》後面的六十二卦都是由乾、坤兩卦演變而來的，所以乾、坤之道也就成為天地自然之道的代表，「自強不息，厚德載物」構成了《周易》義理的核心精神。

《周易》「自強不息，厚德載物」說是建立在「天人合一」思想基礎之上的。「天人合一」是中華民族極為重要的思維模式，其基本要求是人道要合乎天道，人德要合乎天德。《周易》是「天人合一」論的圭臬之作。《四庫全書總目提要·易類》說：「《易》之為書，推天道以明人事者也。」[1] 也就是說聖人作《周易》的目的就在於模擬天道，顯現天道，以此指導人道。《繫辭上》說：「是故天生神物，聖人則之；天地變化，聖人效之；天垂象，見吉凶，聖人象之；河出圖，洛出書，聖人則之。」是說上天以天地自然萬物為人類生活「立法」，人應

---

1　[清]永瑢、紀昀等：《四庫全書總目》上冊，北京：中華書局，1965年，第 50 頁。

該效法天地自然來生活和行動，使人事與天象保持一致。《文言》說：「夫大人者，與天地合其德，與日月合其明，與四時合其序，與鬼神合其吉凶。」這是說，人們的德行也要與天地之德保持一致。

甚麼是天道呢？古人看到四季輪迴，周而復始；日月交替，運轉不息；斗轉星移，循環往覆。又看到天體運行是雄健豪放、氣勢非凡、勇往直前、不知疲倦、從不間斷、永不停息的，是任何力量也阻擋不住的。於是《易傳》就提煉出一個「健」字來概括天道，即「天行健」。依據「天人合一」的觀點，《易傳》自然而然地要推出人道，即「自強不息」，也就是說人也應效法天行的剛健，堅貞剛毅，不斷進取。天的德行是「健」，而地的德行是甚麼呢？孔子認為是「坤」，即「厚順」，這就是「地勢坤」。大地厚重和順，無所不載，無論是好人、壞人、好的事物、壞的事物，統統都包容承載，默默承受，毫無怨言。同樣地，人也應該效法大地的坤厚之象、深厚之德，以寬厚的德行為人處世，容載萬物。與之類似，《周易》的其他六十二卦也都是依照這個邏輯和思路，一一展現天地自然之道，推出人道。如漸卦描述的是山上樹木生長的過程，雖然每天樹木長高不是很明顯，但卻日日都在增長，時間一長，就看得出效果了。《大象傳》以此來推演人事，告訴人們好的德行、好的風俗也不是一蹴而就的，同樣是一天一天培養和積累起來的，因此人們要重視積累的功夫。又如姤卦描述的是風行天下

之象,風吹拂天下,遍觸萬物,無所不到。《大象傳》以此來推演人事,告訴君王頒佈法律政令也要通告四面八方,讓大家都能知曉、執行。

### 38.《周易》義理核心精神的歷史影響如何?

「自強不息,厚德載物」精神在我國歷史上產生了極為深遠的影響。在長期的歷史實踐中,中華民族積累的寶貴經驗與歷代思想家們關於「自強不息,厚德載物」的解讀和闡發,被逐漸融入整合到這一命題之中,使之成為中華民族精神的核心內容,正如張岱年先生在《宇宙與人生》中說的,「任何一個文明民族都有其民族精神,而中華民族的民族精神可稱為中華精神。我認為中華精神的核心內容就是『自強不息,厚德載物』。當然,中華民族精神具有多方面的豐富內容,但其核心可以用這八個字來概括」[1]。簡而言之,「自強不息,厚德載物」的歷史影響主要有以下兩個方面的表現。

一是對德行修養的影響。重視德行修養的傳統由來已久,據《尚書》記載,上古三代都十分重視德行修養。而自從《易傳》提出「自強不息,厚德載物」這一命題之後,後世更是以之為指南,把德行修養作為人生頭等大事,並提出了許多切實可行的實踐方法,如孔子「為仁由己」「君子求諸己」,孟子「養

---

1　張岱年:《宇宙與人生》,上海:上海文藝出版社,1999 年,第 282 頁。

浩然之氣」，荀子「權利不能傾也，群眾不能移也，天下不能
蕩也。生乎由是，死乎由是」，《中庸》「戒慎恐懼」，董仲舒「以
義正我」，周敦頤「主靜」，張載「民吾同胞，物吾與也」「為天
地立心，為生民立命，為往聖繼絕學，為萬世開太平」，朱熹
「居敬而持志」，王陽明「破心中賊」，等等。這些方法都進一
步豐富和發展了「自強不息，厚德載物」的精神意涵，造就了
無數為後世稱讚、德行卓著的正人君子，也使「自強不息，厚
德載物」的信念深入人心，成為中華民族不朽的精神財富。

　　二是對歷史實踐的影響。孟子說：「故天將降大任於是人
也，必先苦其心志，勞其筋骨，餓其體膚，空乏其身，行拂亂
其所為，所以動心忍性，曾益其所不能。」[1] 在中華民族漫長而
曲折的發展史中，「自強不息，厚德載物」激勵着一批又一批
的哲人學者、志士仁人，令他們堅定信念、不畏艱難、發憤圖
強，經受各種考驗，戰勝各種艱難險阻，寫出了熠熠生輝的鴻
篇巨著，成就了流傳千古的豐功偉業。如唐代杜佑積三十年之
功，寫成了一部震撼史壇的巨著《通典》；司馬光信念堅定，
艱苦卓絕，以十九年辛勞和汗水編纂出歷史巨著《資治通鑑》，
影響深遠；李時珍用了二十七年時間刻苦鑽研，跋山涉水，
飽嘗苦辛，寫成了醫藥學名著 ── 「東方藥物巨典」《本草綱
目》。還有無數的仁人志士，秉承「自強不息，厚德載物」的

---

1 《孟子·告子下》。

精神信念，在和平年代兢兢業業，勤勤懇懇，為社會發展做出貢獻；在戰爭時期不畏艱險，奮勇抗敵，譜寫了可歌可泣的壯麗詩篇。可以說，在中華民族的偉大實踐中，「自強不息，厚德載物」已經成為國人不朽的精神支柱，也鑄成了不可征服的偉大民族之魂。

### 39. 怎樣領悟《周易》義理核心精神的現代價值？

「自強不息，厚德載物」是炎黃子孫求生存、謀發展的經驗總結和智慧結晶，有力地推動了中華民族幾千年的偉大實踐。近代思想家梁啟超又將此語選為清華大學教訓，激勵着一代又一代的青年學子發奮圖強，報效祖國。如今的時代發生着廣泛而深刻的變革，但「自強不息，厚德載物」的古訓仍對我們有着深刻的啟迪作用。

一是要「自強不息」。其中有三個關鍵詞：自、強、不息。「自」，就是自己。相傳刻在德爾斐阿波羅神廟上的最有名的一句箴言就是「認識你自己」。老子也說：「自知者明。」[1] 尼采在《論道德的譜系》前言中說：「我們這些認知者卻不曾認知我們自己。原因很清楚：我們從來就沒有試圖尋找過我們自己，怎麼可能有一天突然找到我們自己呢？……我們對自己必定仍然是陌生的，我們不理解自己，我們想必是混淆了自己，

---

1 《老子》第三十三章。

我們的永恆定理是『每個人都最不了解自己』，—— 對於我們
自身來說我們不是認知者。」[1]可見，正確認識自己，對於一個
人的成長具有十分重要的意義，但要真正認識自己卻並非易
事。一個人要真正認識自己，一方面要廣博地學習各種學問，
還要學會靜坐體悟，明白自己的本來面目。在現實生活中，
要有定力，做好自己，面對各種社會現象，要有正確的認識和
理解，不迷信，不盲從。「強」，老子說「自勝者強」，就是要
戰勝自己的各種惰性、不當的慾望，使自己處於正知、正念、
正道之中。「不息」，就是不停息，要剛健精進、始終如一、
持之以恆、永不懈怠，亦如梁啟超所言：「乾象言，君子自勵
猶天之運行不息，不得有一暴十寒之弊。才智如董子，猶云勉
強學問。《中庸》亦曰，或勉強而行之。人非上聖，其求學之
道，非勉強不得入於自然。且學者立志，尤須堅忍強毅，雖遇
顛沛流離，不屈不撓，若或見利而進，知難而退，非大有為者
之事，何足取焉？人之生世，猶舟之航於海。順風逆風，因時
而異，如必風順而後揚帆，登岸無日矣。」[2]「自強不息」要求
我們為人處世遵守正道，持之以恆，絕不懈怠；好的學習、生
活、工作習慣也要逐步養成，嚴格堅持，善始善終。如此長期

---

1 〔德〕尼采：《論道德的譜系》，周紅譯，北京：生活・讀書・新知三聯書店，
   1992 年，第 1 頁。
2 梁啟超：《自立：梁啟超論人生》，北京：九州出版社，2012 年，第 10—
   11 頁。

積累下去，量變產生質變，人生必然會更加光明和美好。

二是要「厚德載物」。這是說要增厚自己的德行，以此容載萬事萬物。梁啟超解釋說：「坤象言君子接物，度量寬厚，猶大地之博，無所不載。君子責己甚厚，責人甚輕。孔子曰：『躬自厚而薄責於人。』蓋惟有容人之量，處世接物坦焉無所芥蒂，然後得以膺重任，非如小有才者，輕佻狂薄，毫無度量，不然小不忍必亂大謀，君子不為也。當其名高任重，氣度雍容，望之儼然，即之溫然，此其所以為厚也，此其所以為君子也。」[1]古人說，「水至清則無魚，人至察則無徒」[2]「人非聖賢孰能無過」[3]。《論語‧微子》云：「無求備於一人。」天下間沒有兩片完全相同的樹葉，也沒有兩個完全一樣的人。人與人之間有着不同的稟賦和性格，如果不能以一種寬容的精神為人處世，就必然會出現摩擦，甚至造成難以調和的矛盾。「厚德載物」要求世人像大地無論高低貴賤、貧富美醜都能默默承載那樣，以博大寬容的胸懷對待天下的人和事。值得一提的是，這裡說的是寬容，而不是縱容。寬容的前提是堅守正義與正道，是有原則的對他人的理解、體諒和豁達大度。而縱容是指對過惡行為不加制止而任其發展。縱容會導致放縱和罪惡，而寬

---

1 梁啟超：《自立：梁啟超論人生》，北京：九州出版社，2012 年，第 157—158 頁。

2 《大戴禮記‧子張問入官》。

3 《左傳‧宣公二年》。

容則可以贏得友誼、贏得和諧、贏得發展。

　　當今，中華民族正昂首闊步走向未來。每一位國人都應牢記責任和使命，秉承「自強不息，厚德載物」的古訓，振作精神，奮發圖強，崇德修學，實幹興邦，為實現中華民族的偉大復興貢獻力量。

## 第三節　《周易》經傳義理與易學義理派

### 40. 甚麼是易學義理派？它是怎樣形成和發展的？

　　《周易》是一部十分古老的典籍。從漢代開始，由於儒家經學的確立和發展，《周易》被尊為「五經」之首。從那時起，學者們撰寫了大量的《易》注，對《易經》和《易傳》進行闡述和解說，並由此形成了一門專門研究《周易》的學問，即易學。

　　清代學者在編纂《四庫全書》時，把歷代易學家分為兩派六宗。兩派即象數派和義理派。六宗即以太卜之遺法為代表的占卜宗，以京房、焦贛為代表的禨祥宗，以陳搏、邵雍為代表的造化宗，以王弼為代表的老莊宗，以胡瑗、程頤為代表的儒理宗，以李光、楊萬里為代表的史事宗。六宗中的占卜宗、禨祥宗、造化宗歸屬於象數派，老莊宗、儒理宗、史事宗則歸屬於義理派。象數派着重於通過《周易》卦爻象及其所象徵的物象和諸如陰陽奇偶之數、九六之數、大衍之數及天地之數等有關數字解釋《周易》經傳文義。而義理派注重從卦名、卦

爻辭和卦象中所蘊含的意義和道理來解釋《周易》。

《四庫全書總目提要》將義理派的創始人確定為魏時的王弼，但嚴格說來，義理派發端於《易傳》，它以儒家倫理觀、道家陰陽觀來解說《易經》，為易學義理派打下了堅實的理論基礎。漢代以費直為代表的易學注重從文意解說《周易》，算是開了易學義理派的先河。魏晉時期，以王弼、韓康伯為代表的玄學派易學，一掃煩瑣的象數解《易》之風，注重從義理角度解讀《周易》，成為義理派的實際創始人。唐代孔穎達奉太宗之命主編《周易正義》，採用王弼、韓康伯的注釋，加以疏解，推動了玄學派易學的發展。宋代是義理派易學發展的高峰期。程頤《周易程氏傳》提出「體用一源，顯微無間」的易學命題，認為易理寓於有形的易象中，易象顯現易理，易理涵攝天地、人生之理，是繼王弼《周易注》之後，易學義理派的又一經典力作。另外，宋代胡瑗《周易口義》、李光《讀易詳說》、朱熹《朱子語類》中的易學講述、楊萬里《誠齋易傳》、張載《橫渠易說》《正蒙》、楊簡《楊氏易傳》《己易》都是易學義理派的重要著作。元、明、清三代，易學義理派創獲不是太多，主要是對程頤、朱熹的義理之學進行注釋、解讀和總結。比較有代表性的著作有：元代保巴《易體用》，明代胡廣奉命編纂的《周易大全》，清代《御纂周易折中》《御纂周易述義》《日講易經解義》，王夫之《周易內傳》《周易外傳》等。近現代有學者從現代管理學、社會學等方面解讀《周易》，進一步推動了《周易》義理學的發展。

## 41. 易學義理派怎樣汲取《周易》義理來建構思想體系？

中國古代有一個很有意思的學術傳統，那就是思想家們喜歡在詮釋經典中，逐步建構起自己的思想體系。易學家當然也不例外，比如王弼在用老莊注解《周易》時，也在借用《周易》闡述其玄學理論。當然，要論汲取《周易》義理來建構思想體系的代表，當屬宋明道學。宋明道學是中國古代哲學的爛熟時期，其五大流派，即理學派、數學派、氣學派、心學派和功利學派都或多或少從《周易》義理中汲取營養，來建構自己的思想體系。下面就以理學派為例，看看他們是如何從《周易》中吸取理論資料和思維形式，來建構自己的思想體系的。

「理學開山」周敦頤在解讀《周易》方面有兩本重要的著作──《太極圖說》和《通書》，這兩部著作都以《周易》作為學術根基，窮究天地萬物的根源，闡述發揮太極之意蘊，構建起了「太極→陰陽→五行→萬物」的宇宙生成圖式和以「誠」為目標的修養路徑，將儒家宇宙論、本體論、心性論、功夫論熔於一爐，建立了理學史上第一個高度哲學化的天人之學，並實現了天人之學的心性論轉向，在思想史上影響深遠。

理學奠基人程頤的思想也主要是在對《周易》的解釋中形成和發展的。程頤在分析《周易》之易象與易理的關係過程中，提出了一個重要的解釋原則，即「體用一源，顯微無間」。體，指易理、本體；用，指易象、發用。他認為隱微、無形

的易理與可見、有形的易象，二者是一體的，不可分割。無形
的易理，當以易象顯示出來；而有形之易象，必然源於無形之
易理。由於認為《周易》是「五經之首」「大道之源」，程頤把
這個解釋原則進一步提升為一般的哲學原理，即「事理一致，
顯微一源」，他說：「至顯者莫如事，至微者莫如理，而事理一
致，顯微一源。」[1] 這樣，程頤就把天理與人事相統一的關係構
建起來了，也完成了易學到理學的過渡。在他看來，天理與人
事是一體的：天理是根本，是人事的依據；人事是發用，是天
理的表達。在此基礎上，他又將天理與人性聯繫起來，提出了
道德修養的原理和方法，認為性即理，天理可以顯現於萬事萬
物當中，在人身上的體現便是性，人的修養就是要同於天理，
也就是要回歸人本善的天性。

　　上述兩位理學大家都成功地汲取《周易》義理來建構思想
體系，為後人做出了榜樣：周敦頤藉助《周易》「太極」「兩儀」
等範疇解釋天地萬物的形成，構建起儒家的宇宙論，並對《周
易》進行了富有創造性的心性論解讀，為儒家成聖思想提供了
理論依據。程頤則是在解讀《周易》過程中，實現了「體用一
源」到「理事合一」的理論轉向，將「天理」作為其哲學的最高
範疇，統攝宇宙本體和價值本體，建構起了理學本體論，且在
此基礎上進一步提出了心性論和功夫論。

---

1　[宋] 朱熹編輯：《二程語錄》卷十五，北京：中華書局，1985 年，第 242 頁。

## 42. 當代如何借鑑易學義理派的思想方法？

通常說來，不同的學科有各自的研究方法，但不同的學科也可能有某些具有共性的研究方法，這就為方法借鑑提供了可能。易學義理派在詮釋《周易》過程中，藉《易》發揮，進行了融通、轉化和創造性的工作，從而構建起自己的思想體系。「他山之石，可以攻玉」，當今的學術研究也可以借鑑易學義理派的思想方法。

一是要重視經典的研究。經典是經久不衰的萬世之作，是經過無數人閱讀，在各個知識領域具有典範性、權威性的著作。可以說，經典就是經過歷史淘洗選擇出來的「最有價值的書」，具有不朽的價值。《周易》被奉為「大道之源」，位居群經之首，即有此殊榮。經典是一個開放的系統，是一個學科的奠基之作，是綿綿不盡的源頭活水。像《周易》，僅一部作品，即可形成享譽古今的「易學」；像莎士比亞，僅一人之作，即可成為舉世共研的「莎學」；其他的還有「老學」「莊學」「紅學」等等。可以說，古今中外的很多經典之作，都開創出一個研究系統，讓不少學人樂此不疲，終生為之；也讓很多讀者涵泳反覆，受用一生。因此，當今的學者也需向古人學習，要特別重視對經典的研究，可根據時代特點和社會需要，結合自己的研究方向和興趣，從經典中挖掘出相關的思想和智慧，用於指導理論研究和社會實踐。

二是在詮釋經典的過程中，建構自己的理論思想。古代思

想家在給《周易》作傳作疏的過程中，逐步建構了自己的思想體系。如宋明理學藉助《周易》完成的理論構建，堪稱後世的典範之作。當今時代也同樣可以借鑑這種做法。在學術研究中，在解讀本學科經典著作的過程中，可將自己的思想融合和嫁接進去，建構屬於自己的理論體系。在具體操作過程中，可以採取多種方法，如進行跨學科研究，運用多學科的理論、方法、成果對某一課題進行研究，或將經典中的理論與其他相關理論進行橫向比較與縱向比較、求同比較和求異比較等，從而得出自己的富有創見性的思想。如宋代李光《讀易詳說》、楊萬里《誠齋易傳》，從歷史角度來解讀《周易》，詮釋卦爻辭，成為史事易宗的代表。王宗傳《童溪易傳》、楊簡《楊氏易傳》《己易》，則借鑑心性之學，以心解易，富有創見，成為心易學派的代表。又如當今學者從現代管理學角度研究《周易》，提出了「管理易」思想。凡此種種，都說明搞學術研究，一方面要有嚴謹的治學態度，重視經典研究，掌握本學科的系統知識，打好學科基礎，另一方面還要有廣闊的知識視野，多從其他學科考慮問題，這樣才能夠為研究深入和理論創新提供強有力的保障。

# 第五章　易學占筮法度

## 第一節　占筮淵源稽考

### 43. 甚麼叫「占卜」？其形成的原因何在？商代以前存在占卜現象嗎？

　　占卜的主要目的就是解除心中疑問。就占卜本身而言，人們在占卜之前不知道所卜之事是否能得到神的讚許，心裡充滿了對結果的期待與迷惑。《左傳・桓公十一年》云：「卜以決疑，不疑何卜？」《禮記・曲禮上》曰：「卜筮者，先聖王之所以使人信時日，敬鬼神，畏法令也，所以使民決嫌疑，定猶與也。」占卜之術就是用來「決嫌疑，定猶豫」，這也是對占卜功用的簡要概括。現實考慮和功利目的可謂占卜活動的起因和歸宿。卜、筮是兩種非常古老、原始的占卜方法，至少在漢代以前相當長時期內，兩者一直結合在一起。

　　卜與筮是商代最重要的兩種占卜形式，兩周時期也不例

外。商周時期，卦畫往往被刻在甲骨上，這就是卜、筮並用的證明。考古發現，骨卜在距今五千多年的新石器時代就已經出現，但龜卜大約於商代中期才有。筮和卜不同，筮的特點主要在於籌算，通常選用蓍草等植物作為工具。「蓍」字從艸，「筮」字從竹，文字本身也足以說明其材質。司馬遷《史記》卷一百二十八《龜策列傳》記載：「下有伏靈，上有兔絲；上有搗蓍，下有神龜。」古人還將充當算籌的蓍草與龜聯繫起來，用意是突出蓍草占卜的神秘性。《左傳・僖公十五年》稱：「龜，象也。筮，數也。」龜主象，筮主數。漢代卜法已經衰落，筮法興起。

在卜、筮並用的時代，占卜順序也有講究，一般都是先卜後筮；如果卜、筮得出的結論相互矛盾，卜人通常認為卜比筮更重要，應該相信卜，此所謂「筮短龜長」。據《左傳・僖公四年》載：

> 初，晉獻公欲以驪姬為夫人，卜之，不吉；筮之，吉。公曰：「從筮。」卜人曰：「筮短龜長，不如從長。且其繇曰：『專之渝，攘公之羭。一薰一蕕，十年尚猶有臭。』必不可。」弗聽，立之。

意思是說，晉獻公要立驪姬為夫人，可是卜與筮結果相互抵牾。獻公寧願選擇符合自己願望的筮的結果，遭到卜人的堅決

反對，晉獻公最終沒有聽從。可見古人對於卜筮的結果也不是完全迷信。

## 44. 甚麼是「龜卜」？龜卜儀式是怎樣進行的？其意義何在？

早期人類認為，某些動物的骨頭，特別是龜骨，具有特殊的神秘靈性，可以充當溝通人、神的媒介。早期占卜，內陸地區使用的是鹿或牛、羊的肩胛骨，臨海或臨湖泊地區使用的則是龜的背甲或腹甲。卜人通過對骨面鑽鑿或燒灼，然後觀察骨頭的裂紋以求取神諭。所謂「甲骨文」，就是兼指這兩種在龜甲和獸骨上遺留的文字。骨面上的裂紋呈一縱一橫狀，「卜」字正好象其形。後來龜卜取代骨卜，漢代以來則專以龜卜為卜。司馬遷《史記‧龜策列傳》、班固《漢書‧藝文志‧數術略》著龜類等，所言之「龜」即專指龜卜。《周易‧繫辭下》曰：「定天下之吉凶，成天下之亹亹者，莫大乎蓍龜」；「蓍之德圓而神；卦之德方以知」；「神以知來，知以藏往」。《史記‧龜策列傳》明言：「王者決定諸疑，參以卜筮，斷以蓍龜，不易之道也。」

《史記‧龜策列傳》是專記卜筮活動的列傳。「龜策」指龜甲和蓍草，古人用它們來占卜吉凶。《禮記‧曲禮上》云「龜為卜，策為筮」，說明古時卜用龜甲，筮用蓍草。《太史公自序》曰：「三王不同龜，四夷各異卜，然各以決吉凶。略窺其要，作《龜策列傳》。」

在古人眼中，占卜所用的甲骨，實乃人與神之間的中介；卜筮選擇用龜甲作卜具，在於其更具靈性。正是出於對卜骨和卜甲之靈性的確信無疑，殷人將其用於乞求上帝和祖先的賜兆禱福；而卜骨和卜甲也因其靈性，起到溝通人與帝、人與祖靈之間信息交流的媒介作用。

龜卜的過程一般是：首先命龜，就是通過咒語祈請神靈，並向神靈提出要決疑的問題，祈請賜知；然後再灼鑽，根據紋理觀象判斷吉凶之預兆，事後還要進行驗證，刻辭記錄。從命龜到觀兆，遵循一系列的禮儀程式。《史記‧龜策列傳》中記載了這種命龜儀式：「卜先以造灼鑽，鑽中已，又灼龜首，各三；又復灼所鑽中日正身，灼首日正足，各三。即以造三周龜，祝曰：『假之玉靈夫子。夫子玉靈，荊灼而心，令而先知。而上行於天，下行於淵，諸靈數箭，莫如汝信。今日良日，行一良貞。某欲卜某，即得而喜，不得而悔。即得，發鄉我身長大，首足收人皆上偶。不得……靈龜卜祝曰：『假之靈龜，五巫五靈，不如神龜之靈，知人死，知人生。某身良貞，某欲求某物。即得也……可得占。』」這些命龜的咒語內容基本保持着殷商時期占卜的儀軌旨趣，即祈求神靈時首先要表達對祈求對象的尊敬和崇拜，待到得兆和觀兆之後，還要有謝神的祝辭。浙江大學吳土法等從《周禮》中鈎稽出取龜、選龜、釁龜、攻龜、開龜五項整治卜龜的工序，以及陳龜、貞龜、定龜、視高、命龜、作龜、占龜、繫幣八項天子廟享卜日的禮事，其中

取龜、選龜、釁龜、攻龜、開龜、命龜、作龜、占龜、繫幣
九項均能從地下出土實物和出土文獻中找到可靠的依據；陳
龜、貞龜、定龜、視高四項可以在《儀禮》《禮記》等古籍中得
到佐證；釁龜、開龜、占龜諸項與殷禮有着明顯的不同，與周
禮則彼此契合。這不僅證實了《周禮》中有關龜卜事宜的具體
材料基本上是可信的，而且還說明了龜卜禮儀當屬周禮內容。

## 45.「龜卜」對古代先民生活有甚麼影響？

商代諸王幾乎逢事必卜，大而至於發動戰爭、祭祀、王
位繼承之類國家大事，小而至於飲食起居、婚嫁出行等日常瑣
事，滲透於生活的諸多方面。甲骨文內容涉及商代社會的各個
領域，殷商先民幾乎事無巨細都要通過占卜的方式，乞求上天
神靈的旨意。占卜操作過程中的或然性和偶然性，以及對占卜
結果解釋的隨意性和目的性，致使卜人有可能在一定的範圍內
根據自己的預設目標對占卜結果作出取捨，何況卜之不吉還可
再用筮占，一次不行還可進行二次、三次。《左傳》記載晉獻
公欲立驪姬為夫人之筮，屬於殷商之後的歷史記載，但是在神
靈面前進行的占卜儀式所具有的神聖感與對占卜結果解釋的
任意性則形成了鮮明的反差。占卜活動一旦成為政治和倫理
的附庸，實質上就是君權通過占卜這種形式以神權方式得到強
化。可以說，這種具有多重社會功能的占卜活動，一方面阻斷
或者延緩了殷商時代宗教觀念上升為理論形態的可能性，一方

面又鉗制了自然科學與抽象思辨精神的發展。

## 第二節　《周易》筮法

### 46. 甚麼是「筮法」？先秦典籍對筮法有甚麼記載？

「筮法」是用蓍草等植物作為籌算工具、具有系統理論的一種占筮技藝。作為系統的理論化的「筮法」，《易傳》「大衍之數」保存了相對完整的先秦卜筮技藝。此外，《清華大學藏戰國竹簡》中，《筮法》簡是唯一保持着原來成卷狀態的竹簡。它在被發掘時還保持着當初成卷的樣子，簡上的編號排序無一錯亂。據推測，其反面可能有一層絲織品，用以穩固竹簡，這種竹簡形制尚屬首次發現。《清華大學藏戰國竹簡》的整理報告從 2010 年開始公佈，其中第四輯包含三方面內容，除了《筮法》之外，還有《別卦》和《算表》，這些都是研究先秦筮法的重要資料典籍。

### 47. 先民是怎樣依卦推論的？今人從中可以獲得甚麼啟示？如何理解揲蓍成卦的意蘊？

用《周易》占筮包含兩個主要程序。其一是揲蓍成卦，即通過一定數目的蓍草的變化來求得卦象，《周易‧繫辭上》所謂「大衍之數」對應這一程式及其內容。其二是判斷吉凶，也就是依據卦爻變化，作出吉凶判斷。大衍揲蓍之法有幾個基本

的步驟：第一步，依照易學「大衍之數五十，其用四十有九」之說，拿五十根蓍草出來，取出一根不用，象徵天地未開；然後用餘下的四十九根來佈卦。所謂「分二以象兩」，此「分二」，即分成兩半，此「象兩」即象徵天地、陰陽。第二步，是「掛一以象三」，就是從分好的兩堆蓍草中的一堆裡，拿出一根夾掛在手指上，或置於一邊。這裡的「象三」，就是象徵天、地、人三才，其中的「一」就是表徵人。所謂「掛一以象三」，就是從天、地之中分出人來，這樣，天、地、人三才就齊全了。第三步，是「揲之以四以象四時」，就是說，把這兩堆蓍草的數目分別除以四，最後的結果就是各餘下小於或者等於四的一堆，以此模擬春夏秋冬四時交替的過程。第四步，是「歸奇於扐以象閏」——象徵一年中的閏月。這就完成了第一變的步驟。然後「五歲再閏，再扐而後掛」，就是又重新來一遍，此為二變。其後「四營而成易，十有八變而成卦」，是說經過第三變得出的四種結果——三十六、三十二、二十八、二十四；三變之後的結果只有這四個數字。那麼這四個數字「四營而成易」，就是再把這個結果除以四，得數便是九、八、七、六，對應易學皆有所指。其中，九稱為老陽，八為少陰，六為老陰，七為少陽。物老則變，到了老陰、老陽，它就會變，這就是變爻，也叫動爻。

可見，卦象的形成是通過「揲蓍」推演而成，體現了「太極生兩儀，兩儀生四象，四象生八卦」的陰陽演變成卦原理。

在這個變化過程中，有時陰盛陽衰，有時陽盛陰衰，有時陰陽相衡。這幾種情況符合陰陽互根、消長、變化、轉化、更新的動態運動法則，契合天地自然運行規律。《周易》正是以這看似簡單的象數符號來表徵宇宙萬物的化生理則，閃爍着中華先賢獨特的生存智慧。

## 48. 甚麼是「天地之數」與「大衍之數」？二者關係如何？

「大衍之數」和「天地之數」均出自《周易‧繫辭上》：

> 大衍之數五十，其用四十有九。分而為二以象兩，掛一以象三，揲之以四以象四時，歸奇於扐以象閏，五歲再閏，故再扐而後掛。天一地二，天三地四，天五地六，天七地八，天九地十。天數五，地數五，五位相得而各有合。天數二十有五，地數三十，凡天地之數五十有五。此所以成變化而行鬼神也。

朱熹認為：「天地之數，陽奇陰偶，即所謂『河圖』也。」台灣學者孫振聲在《白話易經》注釋中說：「這一段，說明占筮所用的數字，是以天地之數為依據」，「數字有奇數和偶數，奇數屬於陽，偶數屬於陰，天陽地陰」，「這些數字構成了宇宙間各種不同的變化象徵，就如同神鬼般神奇的推算判斷出來

了」。在《易傳》中，有關「天地之數」，講得清楚明白，但「大衍之數五十」，卻沒有明言。

為甚麼大衍之數為五十，其用四十有九，而非大衍之數四十九，其用五十呢？《周易集解》對此數注為：「叁天兩地者，謂從三始順數而至五、七、九，不取於一也。兩地者，謂從二逆數而至十、八、六，不取於四。」這樣就出現陽數三、五、七、九，陰數二、十、八、六，共八個數，並與八卦相配。天為生數，是一，地為成數，是五，天數二十五，地數三十，天地生成之數共五十五。大衍之數五十，而已有成數五在其中，故天地生成之數五十五減去五，即為五十。其用四十九者，天地生成之數虛生數一與成數五，存而為用數，五十五減去六（1＋5），得數是四十九。天為生數是一，地為成數是五，用數是四十九。天地為父母是生與成，用數是生數與成數產生之數。

關於大衍之數，古往今來眾說紛紜。《漢書‧律曆志第一上》謂：「是故元始有象一也，春秋二也，三統三也，四時四也，合而為十，成五體。以五乘十，大衍之數也，而道據其一，其餘四十九所當用也。」[1] 近人杭辛齋則說：「故四十五與五十五，為天然分化之界限，非人力所能增減，合之一百為全

---

1 ［漢］班固撰，［唐］顏師古注：《漢書》卷二十一，北京：中華書局，1962年，第983頁。

數。全數之內，分陰分陽，當然陰陽各得五十。故『大衍之數五十，其用四十有九』。其一不用，而盈虛消息，即由此一生生不已，其數不窮。」[1]

《周易注疏》雜採諸說，如京房認為：「五十者，謂十日，十二辰，二十八宿也。凡五十，其一不用者，天之生氣，將欲以虛來實，故用四十九焉。」[2] 馬融指出：「《易》有太極，謂北辰也。太極生兩儀，兩儀生日月，日月生四時，四時生五行，五行生十二月，十二月生二十四氣。北辰居位不動，其餘四十九轉運而用也。」[3] 荀爽曰：「卦各有六爻，六八四十八，加乾坤二用爻，凡有五十，乾初九『潛龍勿用』，故四十九也。」[4] 鄭玄稱：「天地之數，五十有五，以五行氣通，凡五行減五，大衍又減一，故四十九也。」[5] 王弼云：「演天地之數，所賴者五十也，其用四十九，則其一不用也，不用而用以之通，非數而數以之成，斯《易》之太極也，四十有九數之極也。夫無不可以無明，必因於有，故常於有物之極，而必明其所由

---

1　杭辛齋：《杭氏易學七種 · 易數偶得》，民國八年 (1919) 研幾學社刊本，第955 頁。

2　[晉] 韓康伯注，[唐] 陸德明音義，孔穎達疏：《周易注疏》卷十一，台北：商務印書館影印文淵閣《欽定四庫全書》第 0007 冊，第 0537a 頁。

3　同上書，第 0537a—0537b 頁。

4　同上書，第 0537b 頁。

5　同上。

之宗也。」[1]

宋儒朱熹則聲稱:「大衍之數五十,蓋以河圖中宮天五乘地十而得之,至用以筮,則又止用四十九,蓋皆出於理勢之自然,而非人之知力所能損益也。」[2]

金景芳認為,以上諸說,或牽附《圖》《書》,如朱熹,或雜以老莊,如王弼等,或憑臆穿鑿,如京房、馬融、荀爽,皆毫無根據。[3]古人卜筮為甚麼五十五策不全用而只用四十九策?是因為五十五策全用,最後得不出七八九六,不能達到筮的目的。金景芳指出,「大衍之數五十」之後脫「有五」二字。[4]高亨等亦同意此說。


## 第三節　《周易》筮法變通

### 49. 焦贛《易林》如何變通《周易》筮法?

《焦氏易林》源於《周易》,是對傳統《易》卦筮法的更新

---

1　[晉]韓康伯注,[唐]陸德明音義,孔穎達疏:《周易注疏》卷十一,台北:商務印書館影印文淵閣《欽定四庫全書》第 0007 冊,第 0536b 頁。

2　[宋]朱熹撰:《原本周易本義》卷七,台北:商務印書館影印文淵閣《欽定四庫全書》第 0012 冊,第 0683d 頁。

3　金景芳著,呂文郁、舒大剛主編,舒星編校:《易通》第五章,《金景芳全集》第 1 冊,上海:上海古籍出版社,2015 年,第 53 頁。

4　金景芳講述,呂紹剛整理:《周易講座》,長春:吉林大學出版社,1987 年,第 51 頁。

和發展。《焦氏易林》在六十四卦基礎上復變六十四，亦即一卦變六十四，六十四卦變四千零九十六卦；六十四卦中的一卦變為另一卦稱為「之卦」，然後在「之卦」後配以相應的占辭。《焦氏易林》占辭與《周易》卦爻辭同是占辭，但《焦氏易林》大多用四言韻語，偶見三言格式。其四言占辭文辭精練，古雅玄妙。尚秉和考證研究指出，《焦氏易林》在占辭的取象上與《周易》一脈相承，實乃易象之淵藪，並保留了眾多久已失傳的用象規則。

## 50. 京房「納甲法」是怎樣產生的？有何特點？

京房「納甲法」是京房易學的重要組成部分。京房，本姓李，推律自定為京氏，東郡頓丘（今河南清豐西南）人。他受學於梁人焦贛，焦贛自稱學《易》於孟喜，京房以為焦氏《易》即孟氏之學。焦贛常說：「得我道以亡身者，必京生也。」[1] 漢元帝初元四年（前 45），京房舉孝廉為郎，後任魏郡太守。他多次上疏論說陰陽災異，引《春秋》與《易》為據，批評朝官，得罪了宦官石顯，又與治《易》的權貴五鹿充宗學說相非，最終以「非謗政治，歸惡天子」的罪名被斬首棄市，果然應了焦贛的讖語。

京房說《易》，長於災變，以風雨寒溫為候，各有占驗。

---

1　[漢] 班固：《漢書》卷七十五《京房傳》，清代乾隆武英殿刻本。

正是為了推論陰陽，進行各種預測，京房一方面繼承了上古易
學的文化成果，另一方面進行新的創造，其主要成果之一就是
「納甲法」。

「納甲法」是變通傳統易學的一種象數推演方法。其中所
謂「甲」係十天干之首，舉「甲」以概括十天干，所以稱作「納
甲」。所謂「納」就是把十天干納入乾、坤、坎、離、震、巽、
艮、兌這八卦之中，並與五行、方位相配合。具體而言，就是：
乾納甲，坤納乙，甲乙為木，表示東方；艮納丙，兌納丁，丙
丁為火，表示南方；坎納戊，離納己，戊己為土，表示中央；
震納庚，巽納辛，庚辛為金，表示西方；乾納壬，坤納癸，壬
癸為水，表示北方。

「納甲法」的基本特點是：通過十天干的配合，繼而引入
了十二地支，讓「六十甲子」的時間流程與一年四季相對應，
顯示節候的時空變化，為陰陽災異的推演提供了一個基本
模式。

東漢時期，京房創造的納甲法被道教煉丹家魏伯陽所繼
承和發揮。魏伯陽作《周易參同契》，以震、兌、乾、巽、艮、
坤六卦表示一月中陰陽的消長，甲、乙、丙、丁、戊、己、庚、
辛、壬、癸十干表示一月中的日月地位。如震表示初三日的新
月，受一陽之光，昏見於西方庚地；兌表示初八日的上弦月，
受二陽之光，昏見於南方丁地；乾表示十五日的望月，受三陽
之光，昏見於東方甲地。這叫作望前三候，象徵陽息陰消。巽

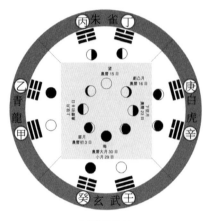

月體納甲法

表示十六日的月象由圓而缺，始生一陰，平旦沒於西方辛地；艮表示二十三日的下弦月，復生一陰，平旦沒於南方丙地；坤表示三十日的晦月，全變三陰，伏於東北。這叫作望後三候，象徵陽消陰息。坎離二卦配戊己，居中央代表日月本位，在丹道上則代表藥物，這是較為通行的「月體納甲法」。

唐宋之際，有《火珠林》一書流行，則又把西漢京房推測災異的「納甲法」與魏伯陽的丹道「納甲法」相匯通，引入了六親、二十八星宿等符號系統，形成一個龐大、複雜的象數體系，構築為一個推斷災異，有理、數、象作根據的占筮運作系統。至今，此法依然在民間有很大的影響。

## 51. 揚雄《太玄經》與《周易》筮法有甚麼聯繫和區別？

揚雄《太玄經》模仿《周易》體裁而撰成。他用一玄、三方、九州、二十七部、八十一家、七百二十九贊，模仿《周易》之兩儀、四象、八卦、六十四重卦、三百八十四爻。其贊辭，

相當於《周易》之爻辭。《周易》有《彖傳》《象傳》等「十翼」，《太玄經》亦作《玄衝》《玄攡》等十篇作補充說明。

「玄」，意為玄奧，源自《老子》「玄之又玄」。《太玄經》以「玄」為核心，糅合儒、道、陰陽三家思想，成為儒家、道家及陰陽家之混合體。揚雄運用陰陽、五行思想及天文曆法知識，以占卜形式，描繪世界圖示，提出「夫作者貴其有循而體自然也」「質幹在乎自然，華藻在乎人事」等觀點。《太玄經》含有一些辯證法觀點，對禍福、動靜、寒暑、因革等對立統一關係及其相互轉化情況均作了闡述，認為事物皆按九個階段發展；其每首「九贊」皆力求寫出事物由萌芽、發展、旺盛到衰弱以至消亡的演變過程，甚至說天有「九天」，地有「九地」，人有「九等」，家族有「九屬」。凡事都用「九」去硬套，反映了揚雄的形而上學特點。東漢宋衷及三國吳人陸績曾為《太玄經》作注。晉人范望又刪定二家之注，並自注贊文。另有北宋司馬光《太玄經集注》、清人陳本禮《太玄闡秘》等。

《太玄經》是揚雄在精研《周易》的二進制後演繹而出的三進制體系，充分地詮釋了天、地、人的互動理念，被譽為世界上最早的三進制體系著作。

# 第六章　易學斷卦依憑

## 第一節　陰陽五行與干支

52. 甚麼是陰陽五行？「陰陽」與「五行」是怎樣構成一個理論系統的？陰陽五行理論對於斷卦有何作用？它是「偽科學」嗎？如何正確認識其歷史與現實意義？

陰陽是中國古代哲學的一對重要範疇。任何事物都有相互依存又相互對立的兩面，我們把其中諸如前進、上升、活躍、積極、主動、光明等一面稱為陽，而把諸如後退、下降、安靜、消極、被動、黑暗等另外一面稱為陰。

陰陽觀念產生較早，最初的陰陽指代某些自然景象，如日光的向背等等。許慎《說文解字》謂陰者：「暗也，水之南、山之北也。」又釋陽曰：「高明也。」西周時期，伯陽父就以陰陽二氣相迫來解釋地震的產生原因。春秋時期，人們亦多以陰陽二氣來解釋氣候與節氣的變化，以應四時。老子《道德經》發

展了陰陽學說，把陰陽作為對立統一的概念予以論述，形成了
貴柔守雌的尊陰思想。《易傳》以陰陽來解釋《易經》原理，
並概括為一陰一陽之謂道。陰陽概念遂從最初的指代某些具
體的自然景象，轉而成為表徵事物既相互對立又相互統一的高
度抽象範疇。從陰陽觀念的形成到陰陽學說的發展，體現了事
物由特殊到一般、由具體到抽象的過程。

　　五行，指的是金、木、水、火、土五種物質及其運行。「五
行」一詞，最早出現在《尚書》的《甘誓》與《洪範》中。《甘誓》
云：「有扈氏威侮五行，怠棄三正，天用剿絕其命。」《洪範》
云：「鯀則殛死，禹乃嗣興，天乃錫禹洪範九疇，彝倫攸敘……
五行：一曰水，二曰火，三曰木，四曰金，五曰土。水曰潤下，
火曰炎上，木曰曲直，金曰從革，土爰稼穡。潤下作鹹，炎上
作苦，曲直作酸，從革作辛，稼穡作甘。」五行各有其性質特
徵：「水曰潤下」，表示水的滋潤、下行、寒涼、閉藏；「火曰
炎上」，表示火的溫熱、向上；「木曰曲直」，表示木的生長、
升發、條達、舒暢；「金曰從革」，表示金的沉降、肅殺、收斂；
「土爰稼穡」，表示土的生化、承載、受納。這五行最初是指
構成萬物的五種具體材質，又稱「五材」。在《尚書‧洪範》之
後，經過許多學者的推演，五行逐漸超越具體事物而成為抽象
的符號代碼。人們以此作為觀照萬物的憑藉，於是最初的五材
成為萬物分類的代碼或框架。

　　春秋以前，陰陽與五行各自獨立，陰陽自陰陽，五行自五

行。春秋以後，情況發生了變化。陰陽與五行被用來服務於共同目的，即解釋天地自然諸現象。於是，陰陽與五行逐漸匯攏、融通。至戰國末，出現了陰陽、四時、五行為一體的陰陽五行學說。[1]

經過整合之後，陰陽、五行之間便有了化生關係。宋代周敦頤在《太極圖說》中對陰陽五行學說有精闢論述：「陽變陰合，而生水火木金土。五氣順布，四時行焉。五行，一陰陽也。」萬物歸為五行，而五行又可以歸結為陰陽。按照周敦頤的說法，五行是陰陽二氣交互作用的產物，陰陽是五行內在變化的動力。陰陽之氣，又總是通過五行並寓於五行而得以體現。也正是由於這樣一種相互作用的關係，陰陽五行才融合為一個完整的嚴密學說。

陰陽五行對於斷卦有着至關重要的作用，甚至可以說是易學斷卦的靈魂。易學斷卦，是立足卦爻的陰陽、五行屬性，通過陰陽之間的相互作用，以及五行之間的相生相剋關係來進行的。離開陰陽五行，斷卦理論系統就難以成立。

陰陽五行通過歸類方法對世界萬物作了劃分。在這個系統中，世界萬物成為有序的組合。從天上到地下，從動物到植物，從低級到高級，無論是大還是小，只要存在就都可以在陰

---

1　容志毅：《重論陰陽五行之學的形成》，《中華文化論壇》2003年第1期，第60─66頁。

陽五行體系裡佔有一定的位置。

　　作為中國古代哲學的重要內容，陰陽五行與現在的科學方法論是有一定區別的，兩者不是一個層次上的概念。科學，主要指自然科學，它是反映客觀事物固有規律的知識體系，其重要特徵是可實驗性和可重複性。由於陰陽五行理論無法像自然科學一樣進行實驗或檢驗，有人給它戴上了「偽科學」的大帽子，非得將之絞殺消滅不可，這顯然不是尊重歷史的態度。

　　我們應該看到：第一，陰陽五行並非完全獨立於具體事物之外的抽象概念；相反，它存在於具體事物之中，與具體事物是一般與特殊的關係。第二，從使用方法看，陰陽五行學說確實是難以實驗、檢測，不同於自然科學，但它通過比類、歸納對世界萬物進行認知與判斷，這個過程體現了豐富的辯證法思想，其方法自成體系，有着嚴密的思維邏輯。第三，更重要的是，陰陽五行學說是對自然規律的一種把握，是人們長期的變革自然、社會實踐的經驗總結。

　　幾千年來，陰陽五行學說發揮着重要的歷史作用。首先，陰陽五行學說是中國哲學思想的重要內容，是中國哲學方法的重要組成部分，對於認識世界、改造世界具有重要的認識論和方法論意義。其次，陰陽五行學說在中國古代社會發揮着重要的社會功能。這一學說是古代農耕的重要根據，有力地促進了中國古代農業的發展；與此同時，它為中國古代的倫理綱常、社會秩序、朝代更替提供了理論依據，發揮了特有的政治功

能。最後，陰陽五行學說深刻地影響了中國文化，其理論滲透到中國傳統文化的方方面面，包括哲學、宗教、天文曆法、中醫、文學藝術、建築等，促進了中國文明的發展。這些都是不容忽視的。

當然，陰陽五行學說也有局限性。這一學說是古人依據有限的經驗認識概括出來的，把天地萬物都歸結為五行生剋關係，不足以反映複雜多樣的情況，因而要辯證地看待這個學說。正如郭沫若所說：「我們不要看見五行說後來的迷信化，遺禍於世過深，便連它發生時的進步性都要推翻打倒，那是不科學、不辯證的看法。」[1]

## 53. 甚麼是天干、地支？它們是怎樣形成的？有甚麼象徵意義？

天干有十，即甲、乙、丙、丁、戊、己、庚、辛、壬、癸。地支有十二，即子、丑、寅、卯、辰、巳、午、未、申、酉、戌、亥。最初，天干和地支是分別流行的。有人認為，天干的產生與十日有關；也有人認為，天干產生於古代的祭祀；還有人認為，天干源於農業生產活動。《尚書·堯典》稱：「乃命羲和，欽若昊天，曆象日月星辰，敬授民時。」文中言及的「羲

---

1　郭沫若：《十批判書》，《郭沫若全集》之「歷史編二」，北京：人民文學出版社，1982 年，第 408 頁。

和」是堯帝時期的天文官。整句話大體是講，堯帝命令義和，敬順上天，觀察與記錄日月星辰的運行規律，傳授給老百姓一種時間流程。據說在這個過程中，慢慢形成了十個「天干」的符號，並且用以表達年月變化與周轉，以指導農業生產。對於地支的產生，也有眾多說法，或以為源於自然法象，或以為出於祭祀求子，或以為與月亮變化有關。儘管對干支的產生莫衷一是，但對干支源於象形，及其後來在象數方面的運用，大多數人應該是認同的。

古人將十天干與十二地支配合用以記時。甲丙戊庚壬五天干為陽，乙丁己辛癸五天干為陰。子寅辰午申戌六地支為陽，丑卯巳未酉亥六地支為陰。陽天干配陽地支，陰天干配陰地支。第一個天干甲配第一個地支子，即甲子；第二個天干乙配第二個地支丑，即乙丑。如此類推，從甲子至癸亥，形成「六十甲子」。我們在出土的甲骨文中發現了完整的干支紀日表，說明至遲在商代已運用干支循環系統來紀日。後來，人們又用干支來紀時、紀月、紀年，形成了一種獨特的紀時系統，也是我國古代使用歷史最為悠久的紀時系統。

斷卦使用的干支，有着多方面的象徵意義。

首先，干支具有自然法象的象徵意義。

這從天干地支的含義可見一斑。干支之意，在《史記》《漢書》《說文解字》《經典釋文》中均有所記載。

十天干的含義是：

甲，《說文解字》：「從木，戴孚甲之象。」意思是說，「甲」從屬於「木」，指草木種子裂開硬殼發出芽尖，意指植物萌生。

乙，《說文解字》：「象春草木冤曲而出，陰氣尚強，其出乙乙也。」所謂「乙乙」，形容草木柔軟，意指初生植物曲折地生長。

丙，《說文解字》：「萬物成炳然。」「丙」與「炳」同義，意指植物生長炳然可見。

丁，《說文解字》：「夏時萬物皆丁實。」古之「丁」本用以形容草木的形狀，意指到了夏天，植物已達強壯、結實之狀，如人之成丁。

戊，《釋名》：「戊，茂也，物皆茂盛也。」意指植物枝葉繁茂。

己，《釋名》：「己，紀也，皆有定形可記識也。」意指萬物生長形狀已達最大化，向外發展之勢停止，因而有形可記識。

庚，《說文解字》：「象秋時萬物庚庚有實也。」意指植物收斂有實而更其生。

辛，《釋名》：「辛，新也，物初新者皆收成也。」意指植物結實成熟，成種新生。

壬，《說文解字》：「象人裹衽之形。」意指植物果種任養之狀，如人之懷妊。

癸，《史記》：「癸之為言揆也，言萬物可揆度。」意指植

物任養之後，揆度欲出，與「甲」之剖符形象前後相隨。

十二地支的含義為：

子，《釋名》：「子，孳也，陽氣始萌，孳生於下也。」意指陽氣始動，萬物滋生萌於地下。

丑，《釋名》：「丑，紐也。」意指寒氣內聚，陽氣未伸。

寅，《釋名》：「寅，演也，演生物也。」意指萬物始生。

卯，《釋名》：「卯，冒也，載冒土而出也。」意指萬物經過嚴寒考驗之後破土而出。

辰，《釋名》：「辰，伸也，物皆伸舒而出也。」意指陽氣發動，雷電震響，農耕播種時節到來，植物煥發生機。

巳，《說文解字》：「巳也，四月陽氣已出，陰氣已藏，萬物見，成形彰。」意指陰氣收斂，陽氣發萌，萬物彰顯出壯大的樣態。

午，《釋名》：「午，忤也，陰氣從下上，與陽相忤逆也。」意指萬物盛大，陽氣卻由盛轉衰，陰氣由下逆襲而上。

未，《史記》：「未者，言萬物皆成，有滋味也。」意指萬物果實皆有滋味。

申，《釋名》：「申，身也，物皆成，其身體各申束之。」意指陰氣大盛，萬物之體開始收斂。

酉，《說文解字》：「酉，就也，八月黍成，可為酎酒，象文酉之形也。」意指八月黍熟可以釀酒，暗示有所成就。

戌，《史記》：「戌，言萬物盡滅。」意指萬物終了。

亥，《釋名》:「亥，核也，收藏百物，核取其好惡真偽也。」意指萬物納藏。

其次，干支具有時間象徵意義。

干支用於紀年、紀月、紀日、紀時，這就使干支被賦予一定的時間意味。

年:每個干支為一年，由甲子開始，滿六十年稱作一甲子或一花甲子。一甲子後，又從頭算起，周而復始，循環不息。此稱為干支紀年法。

月:夏曆的正月由寅開始，至十二月丑止。每個月的地支固定不變，然後依次與天干組合。而月干可由年干來推定。推定之法為:

> 甲己之年丙作首，乙庚之歲戊為頭。
> 丙辛歲首尋庚起，丁壬壬位順行流，
> 若言戊癸何方發，甲寅之上好追求。

例如，甲己年的正月是丙寅月，二月是丁卯月，三月是戊辰月，其他月類推。從甲子月到癸亥月，共六十甲子，剛好五年。

月地支代表季節性:寅卯辰為春天，寅為孟春，卯為仲春，辰為季春;巳午未為夏天，巳為孟夏，午為仲夏，未為季夏;申酉戌為秋天，申為孟秋，酉為仲秋，戌為季秋;亥子丑

為冬天，亥為孟冬，子為仲冬，丑為季冬。

日：由甲子日開始，按順序先後排列，六十日剛好是一個干支的週期。

時：由甲子時開始，但記時的地支固定不變，每天十二個時辰。每日時干可由日干推定。推定之法為：

甲己還加甲，乙庚丙作初；

丙辛從戊起，丁壬庚子居；

戊癸何方發，壬子是真途。

即甲己日時辰天干從甲算起，子時天干為甲，丑時天干為乙，如此輪轉。

### 時辰表

| 時間 | 23:00—00:59 | 01:00—02:59 | 03:00—04:59 | 05:00—06:59 |
|---|---|---|---|---|
| 時辰 | 子 | 丑 | 寅 | 卯 |
| 時間 | 07:00—08:59 | 09:00—10:59 | 11:00—12:59 | 13:00—14:59 |
| 時辰 | 辰 | 巳 | 午 | 未 |
| 時間 | 15:00—16:59 | 17:00—18:59 | 19:00—20:59 | 21:00—22:59 |
| 時辰 | 申 | 酉 | 戌 | 亥 |

最後，干支還具有空間象徵意義。天干、地支分處於不同方位，代表不同的空間格局。

方位干支表

| 方位 | 東 | 南 | 中 | 西 | 北 |
|---|---|---|---|---|---|
| 天干 | 甲乙 | 丙丁 | 戊己 | 庚辛 | 壬癸 |
| 地支 | 寅卯辰 | 巳午未 | | 申酉戌 | 亥子丑 |

關於地支與五行的關係，有以辰戌丑未屬中央土者。筆者以為，辰戌丑未是四季土，辰有東方木的餘氣，未有南方火的餘氣，戌有西方金的餘氣，丑有北方水的餘氣，應寄於東南西北。

## 54. 易學如何依憑干支起卦、斷卦？干支結合的「六十甲子」對於易學象數推演的作用如何？

易學占測法主要有兩種，一種是「六爻納甲法」，另一種是「梅花易數法」。兩法皆可依憑干支起卦。茲先介紹「六爻納甲法」的時間干支起卦，「梅花易數法」的干支起卦見後文。

顧名思義，「六爻納甲法」就是將《易經》六十四卦配上干支以推論吉凶的占卜方法。其具體操作，需將年、月、日、時的干支換成數，年、時以十二地支的序數計，即子為 1 數，丑為 2 數……月以農曆一至十二月的序數計，日以農曆初一至三十的序數計。

首先，將年、月、日數之和除以 8，所得餘數為上卦數；將年、月、日、時數之和除以 8，所得餘數為下卦數。其次，

按數卦對應法把前面所得餘數換成卦。數與卦的對應為 0 坤、1 乾、2 兌、3 離、4 震、5 巽、6 坎、7 艮、8 坤。再次，以年、月、日、時數之和除以 6，得餘數為動爻數，按餘數 1 為初爻、2 為二爻、3 為三爻、4 為四爻、5 為五爻、6 和 0 為上爻的次序標明動爻（注意：按時間干支起卦，所得卦象只有一個動爻）。最後，把卦的各爻裝納甲、安世應、定六親，則起卦完成，可以斷卦了。

例如，農曆庚子年乙酉月癸亥日午時（2020 年 8 月 1 日 12:00）之時間起卦：2020 年為子年，其數為 1；而 8 月之數為 8；1 日之數為 1；12 點為午時，其數為 7。

上卦為：（年 ＋ 月 ＋ 日）÷ 8，取餘數，即（1 ＋ 8 ＋ 1）÷ 8，餘數為 2，為兌卦。

下卦為：（年 ＋ 月 ＋ 日 ＋ 時）÷ 8，取餘數，即（8 ＋ 1 ＋ 1 ＋ 7）÷ 8，餘數為 1，為乾卦。

動爻數為：（年 ＋ 月 ＋ 日 ＋ 時）÷ 6，取餘數，即（8 ＋ 1 ＋ 1 ＋ 7）÷ 6，餘數為 5，動爻為五爻。

此卦上卦為兌，下卦為乾，兌為澤，乾為天，兌與乾合，即成「澤天夬卦」，動爻為五爻。

裝納甲：根據所成之卦，按納甲裝卦歌，從下裝起，乾震坎艮四陽卦納支順輪，坤巽離兌四陰卦納支逆佈。

乾金甲子外壬午，子寅辰午申戌。

震木庚子外庚午，子寅辰午申戌。

坎水戊寅外戊申，寅辰午申戌子。

艮土丙辰外丙戌，辰午申戌子寅。

巽木辛丑外辛未，丑亥酉未巳卯。

離火己卯外己酉，卯丑亥酉未巳。

兌金丁巳外丁亥，巳卯丑亥酉未。

坤土乙未外癸丑，未巳卯丑亥酉。

此卦下卦為乾，故卉卦初爻甲子，二爻甲寅，三爻甲辰；上卦為兌，故卉卦四爻丁亥，五爻丁酉，上爻丁未。

安世應：所謂「世應」，乃是按一定規律將干支裝入卦爻中而產生的位階表達。世應所處的爻位，分別叫「世爻」和「應爻」。在解卦時，世爻代表「我」方，應爻代表「他」方（也包括所測之事）。在「六爻納甲法」中，六十四卦按照一定規則分為八組，稱作「八宮」，又名「卦宮」。其排列順序與先天卦序有所不同，其中乾、坤、坎、離、艮、震、巽、艮、兌八個純卦為首卦，各領一宮，每宮各有八卦。就五行屬性而言，各宮首卦具有決定性的地位，其餘七卦皆從屬於首卦。

「世爻」是按所起的卦在本宮卦中的位置來排，「應爻」與「世爻」隔二爻。八宮卦各宮首卦，「世」在六爻，「應」在三爻，各宮二卦「世」在初爻，各宮三卦「世」在二爻，各宮四卦「世」在三爻，各宮五卦「世」在四爻，各宮六卦「世」在五爻，各宮

七卦「世」在四爻，各宮本卦「世」在三爻。此卦為坤宮六卦，「世」在五爻，「應」在二爻。

定六親：所謂「六親」本是社會倫理的一種關係名稱，歷代說法不一。最具代表性的是：父、母、兄、弟、妻、子。後來，「六親」被引申到術數學中，用以表示測算中各種因素的相互關係。由於納甲所用的「卦」，各有六爻，方便與六親對應，於是形成了以「我」為基點的推算過程。不過，「六爻納甲法」中的「六親」與一般社會倫理中的「六親」概念有所不同，包括：父母、兄弟、子女、官鬼、妻財以及「我」。[1]

「六爻納甲法」中的「六親」關係如何呢？首先，以起得之卦所在卦宮的五行為主、為「我」，生「我」者為父母，由「我」所生者為子孫，剋我者為官鬼，我剋者為妻財，比和者為兄弟。

安六神：所謂「六神」指的是青龍、朱雀、勾陳、螣蛇、白虎、玄武。「安六神」的方法是，先以日干論初爻所屬六神，再從初爻往上排六神，青龍、朱雀、勾陳、螣蛇、白虎、玄武秩序一定，循環輪轉。甲乙日起青龍，丙丁日起朱雀，戊日起勾陳，己日起螣蛇，庚辛日起白虎，壬癸日起玄武。此日為癸亥日，初爻起玄武，二爻排青龍，至上爻排白虎。

夬卦上兌下乾，最後裝成的卦為：

---

1　關於「六親」的內涵，本章第三節還會進一步展開論述，這裡僅作舉要性闡發。

```
            乙酉月    癸亥日
            坤宮：澤天夬                    坤宮：雷天大壯
六神       【本　卦】                      【變　卦】
白虎     ── ──    兄弟丁未土            ── ──    兄弟庚戌土
螣蛇     ─────    子孫丁酉金  世        ── ──    子孫庚申金
勾陳     ─────    妻財丁亥水            ─────    父母庚午火  世
朱雀     ─────    兄弟甲辰土            ─────    兄弟甲辰土
青龍     ─────    官鬼甲寅木  應        ─────    官鬼甲寅木
玄武     ─────    妻財甲子水            ─────    妻財甲子水  應
```

　　從上述可見，干支是易學起卦的重要依據，也是易學裝卦的關鍵。易學裝卦，無論是卦爻的天干地支納甲還是安六神，都離不開干支。

　　干支對易學斷卦之推演有着重要作用，表現在：其一，象數推演的過程。占卦各爻的旺衰，主要是通過干支尤其是日建、月建干支來判別的。如春季，寅卯木旺，巳午火相，亥子水休，申酉金囚，辰戌丑未土死。夏季，巳午火旺，辰戌丑未土相，寅卯木休，亥子水囚，申酉金死。秋季，申酉金旺，亥子水相，辰戌丑未土休，巳午火囚，寅卯木死。冬季，亥子水旺，寅卯木相，申酉金休，辰戌丑未土囚，巳午火死。離開日建、月建干支，占卦將無法判定其強弱程度，因而在斷卦時也就難以定論客我雙方的力量對比，更無法說明世爻、用神的主動被動問題以及生剋程度。其二，斷卦中卦爻象數之間的推演。其核心是五行的生剋關係，而干支是五行的載體，離開干支，五行無以着落，斷卦則無下手之處。

## 第二節　體用互變與神煞

### 55. 甚麼是主卦、變卦、日建、月建？如何從內外因對卦象、爻象進行分析？

「主卦」，即占測時所獲得的六畫重卦，這是占測斷卦的主要對象。主卦六爻中某一爻或某幾爻發生變動之後得出的某卦，稱之為「變卦」。日建和月建是我們占測時的時間。

日建，即日辰，占測當天的值日地支。日建者，即子、丑、寅、卯、辰、巳、午、未、申、酉、戌、亥，十二地支周而復始。地支為一日之主，行一日之令，掌一日生殺之權。《卜筮正宗》云：「問卦先須看日辰，日辰剋用不堪親，日辰與用相生合，作事何愁不趁心。」[1]意思是講，「日辰」是問卦首先要考慮的因素，如果日辰地支存在沖殺的情況，那就很不利；如果日辰與問者自身五行不沖殺，而是相互和合，就不用擔憂了。

月建，即月令。正月建寅，二月建卯，三月建辰，四月建巳，五月建午，六月建未，七月建申，八月建酉，九月建戌，十月建亥，十一月建子，十二月建丑。月份起止以農曆節氣算，如立春節開始至雨水氣末為止，稱之為寅月。月建，主一月三旬之令，掌管萬物之提綱，巡察六爻之善惡，操生殺之權

---

1　故宮博物院編：《增刪卜易・卜筮正宗》，海口：海南出版社，2000 年影印，第 259 頁。

柄。月令能助卦爻之衰弱，能挫卦爻之旺相，制服動變之爻，扶起「飛」「伏」之用。占斷六爻地支與月令相沖者為月破，用神臨月破之日者最不宜，是為衰亡、不吉。忌神臨月破，則凶性減弱，難成傷害。月建不入爻，亦為有用；月建一入爻，愈見剛強。月建入卦動而作原神者，為福更大；動而作忌神者，為禍更凶。不入卦者，緩之；入卦者，速之。故《黃金策總斷》云：「月建乃萬卜之提綱，豈可助桀而為虐。」[1]

　　特別要注意的是，斷卦中常遇到日生月剋、日剋月生和月破日值、月值日沖等情形，以何為重？日建、月建有相同的生殺權力，所謂同功同權。但以經驗來看，還是有些側重，須結合問卦而論：占今日事，側重日建；占月內事，側重月建。

　　對卦象、爻象進行分析時，必須分清卦因。卦因分為內因和外因。主卦為斷卦的主要對象，體卦或世爻、用神之所在，故稱之為內因。變卦、日建、月建會影響主卦之好壞，我們稱之為外因。首看內因，以體卦或世爻和用神爻為中心，看其在主卦內的動靜、喜忌及與卦爻之生剋沖合關係。再看外因，辨別變卦變爻狀態，以及日月建辰生剋屬性。最後內外結合，看體卦或世爻、用神之旺衰、生剋，斷其吉凶和應期。

---

1　顧頡主編：《卜筮集成》第 1 冊，重慶：重慶出版社，1994 年，第 214 頁。

## 56. 甚麼是體用、生剋沖合？如何運用這些概念來分析卦象？

「體用」理論主要為梅花易數法所運用。「體」代表占測之人，「用」代表他人或占測之事物。體用之間，體為主，是整個占測的中心立極點；用為賓，圍繞體而展開關係。占測所得之卦有本卦、互卦、變卦之分。本卦為占測最初所得之重卦，包括上下兩經卦。互卦，是以本卦去了初、上兩爻，以中間四爻再分之兩卦，即以二至四爻構成一個互卦，三至五爻構成另一個互卦。變卦，為本卦動爻陰陽變化之後得出的某卦。本卦表示事情當下的態勢，互卦表示事情發展的中間態勢，變卦表示事情的終結態勢。

體用的劃分，是以八卦重卦中的經卦來定的，且在本卦的兩經卦上，而不在互卦和變卦的兩經卦上。梅花易數古法的體用劃分遵循兩條原則。一是以動靜分體用。因為體是靜止不動的，所以本卦中不動之經卦為體，有動爻之經卦為用。此所謂「於本卦分體用，此一體一用也」[1]。二是以內外分體用。本卦為內；本卦之外的變卦及占測人三要（眼、目、心）所及事物和占測時所現之十應（天時、地理、人事、時令、方卦、動物、靜物、言語、聲音、五色）而對應的卦，皆歸為外。簡括而言，此體用劃分，乃以本卦不動之經卦為體，其他包括外

---

1　[宋]邵康節：《梅花易數》，北京：九州出版社，2011年，第70頁。

在事物對應之卦皆為用。此所謂「體一用百」<sup>1</sup>。內外分體用與動靜分體用，相同的地方在於，體卦是不變的；不同的地方在於，前者將「用」的範圍擴大至外在的全部占測所及事物。比如占測所得本卦《蠱》卦，初爻動，則《蠱》卦中的上經卦艮卦為體為主。《蠱》卦二至四爻組成兌經卦，三至五爻組成震經卦，兌為澤，震為雷，雷澤合而成《歸妹》卦，這就是互卦的象數理趣。《蠱》卦初爻動，陰陽屬性互變，成「艮山乾天」的《大畜》卦，這就是變卦的象數理趣。若以一體一用論，則艮卦為體，下經卦巽卦為用為事。若以一體百用論，則艮卦為體，用卦巽、互卦《歸妹》、變卦《大畜》及外應之卦皆為用。現今有人提出以動爻所在卦象為體，無動爻所在卦象為用，與古法相反；亦有人提出，以內卦為體，外卦一例為用；等等。依筆者之見，古時一卦一斷，自是以動者為用，靜者為體；現一卦亦有多斷，體用亦可互變，關鍵是所測對象的中心轉換。如測失物，所測重點在於失物與己之關係，體用取法則以靜卦為體為己，動卦為用為物；若所測重點在於失物本身的狀況如何，則角色互換，以動卦為體，靜卦為用。

　　六爻納甲法不運用體用理論，運用的是六爻世應理論、用神理論。世應指世爻和應爻。本卦的應爻與世爻相隔兩爻，即世爻在本卦初爻，則應爻在本卦四爻，世爻在本卦三爻，則

---

1 [宋]邵康節：《梅花易數》，北京：九州出版社，2011年，第70頁。

應爻在本卦上爻。一般而言，世爻代表占測主體；應爻代表占測客體，具體所指依占測事項不同而有所分別。如占出行，世爻指出行人，應爻代表出行地和出行環境；占婚姻，世爻指自己，應爻指對象或對象所處環境。通常而論，世為主，應為賓，世應相生相合，意指賓主相投；世應相剋相沖，意指賓主兩情不和。用神，用事之神，是根據六親來劃分的占測對象。用神取用法則，我們後文敘述。

　　所得占卦，有生剋沖合現象。這種生剋沖合理論，是梅花易數法和六爻納甲法都運用的理論。

　　生剋，指的是五行的生和剋，包括八卦的五行生剋和八卦各爻所納干支的五行生剋。

　　八卦所屬：坎屬水，離屬火，艮、坤屬土，震、巽屬木，乾、兌屬金。

　　天干所屬：甲木、乙木、丙火、丁火、戊土、己土、庚金、辛金、壬水、癸水。

　　地支所屬：子水、丑土、寅木、卯木、辰土、巳火、午火、未土、申金、酉金、戌土、亥水。

　　五行相生，金生水，水生木，木生火，火生土，土生金；五行相剋，金剋木，木剋土，土剋水，水剋火，火剋金。參閱下頁圖。

　　沖合，主要指十二地支之間沖與合的關係。

　　沖有六沖：子午相沖、丑未相沖、申寅相沖、卯酉相沖、

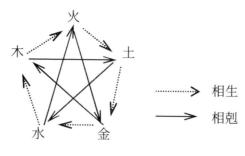

五行生剋圖

辰戌相沖、巳亥相沖。

合有六合、三合。「六合」指的是十二地支兩兩相合，共有六組：子丑合土，寅亥合木，卯戌合火，辰酉合金，巳申合水，午未合火。「三合」指的是每三個地支合為一組，共有四組：申子辰合水，寅午戌合火，亥卯未合木，巳酉丑合金。

如何以體用、生剋沖合概念來分析卦象呢？我們從梅花易數八卦體用和六爻納甲兩方面分別敘述。

八卦體用，主要是以體為中心來看體用之間的陰陽、五行生剋關係。

首先，區分體用互變之卦，以體卦為主，他卦皆為用。其次，辨別體用之陰陽。在八卦中，乾震坎艮四卦為陽，坤巽離兌四卦為陰。體卦、用卦的陰陽屬性不同，所造成的吉凶趨向也不同。大抵所期待之好事應該是陰陽相和，壞事則必定是陰陽相背而無感通、五行相剋。比如測婚姻感情，若體卦、用卦

的陰陽相異，說明夫妻感情相吸相合；若體卦、用卦同陰或同陽，則陰陽相背，預示夫妻暌離，感情不和。最後，考察體用的五行生剋關係，以斷吉凶。《梅花易數》提到：體剋用，諸事吉；用剋體，諸事凶。體生用，有耗失之患；用生體，有進益之喜。體用比和，則百事順遂。體卦的五行為我為主，與其他卦的五行相較，若體卦與用卦五行比和（五行屬性一致）主吉祥而有力；用卦生體卦，主多助力，做事易成少力，為事半功倍之意；體卦剋制用卦，主多阻力，不得要領，費大力方可成事；體卦生助用卦，主多耗損，白費力氣而無成，傷神煩惱；用卦剋制體卦，主招災大敗，受傷重創，乃大凶之兆。

　　體用生剋的程度如何，需辨識體用的旺衰。如何識旺衰呢？一看體之卦氣，宜盛不宜衰。盛者獲得時令之氣助，如震、巽之卦，得木旺於春，離火旺於夏；乾、兌之卦，得金旺於秋，坎水旺於冬；坤、艮之卦，得土旺於辰戌丑未月。二看體黨眾寡。黨，有利壯大勢力的同黨，體現為生助我五行或與我五行相同的卦，如卦體是火，而互變皆火，則是體之黨多；如用卦是水，而互變皆水，則是用之黨多。《梅花易數》稱：「體盛則吉，體衰則凶。用剋體固不宜，體生用也非利。體黨多而體勢盛，用黨多則體勢衰。」[1]

　　至於卦象所應何事何物，則可透過體用八卦所代表的物象

---

1　[宋]邵康節：《梅花易數》，北京：九州出版社，2011年，第44頁。

來察看。卦中有生體之卦，看是何卦。如乾卦生體，則主公門中有喜益，或功名上有喜，或因官有財，或問訟得理，或有金寶之利，或有老人進財，或尊長惠送，或有官貴之喜。又看卦中有剋體之卦者，看是何卦。如乾卦剋體，主有公事之憂或門戶之憂，或有財寶之失，或於金穀有損，或有怒於尊長，或得罪於貴人。之所以如此斷，是乾卦所代表的萬物類屬為：天、父、老人、官貴、頭、骨、馬、金寶、珠玉、水果、圓物、冠、鏡、剛物、大赤色、水寒等。[1]

　　六爻納甲法在用生剋沖合來分析卦象時，與梅花易數體用法有點兒區別。體用法用八經卦來論體用生剋，六爻納甲法則一般不用八經卦而用重卦六爻所納干支來論生剋沖合作用。六爻納甲法重世爻和用神爻，二者是六爻納甲斷卦的核心。具體分析卦象時，立足世爻和用神之爻，一看本卦內部世、用與他爻的五行生剋、沖合關係；二看其與日建月建、他卦他爻等外因的生剋沖合關係。喜他爻和日月建五行生扶、比助世、用，忌他爻和日月建泄剋世、用。凡測吉慶之事喜他爻和日月建三合六合，而測憂疑禍患、出行、行人不宜逢合。憂疑禍患逢合難解難結。出行、行人遇合為絆住，動而不動。凡測喜慶之事，用神、世爻都不宜沖，沖則必散，而謀事難成。凡測官訟憂患之事，用神宜沖，沖之則吉。

---

　　1　八卦取象，源起《說卦傳》，主要是依據八卦的卦象和卦德對事物作八分法。

## 57. 甚麼是神煞？有人說「神煞是迷信」，如何從象徵角度認識神煞的符號語言意義與現代功能？

神，為天地萬物某一方面和某幾方面的主宰者。《說文解字》曰：「天神，引出萬物者也。從示、申。」煞，表徵對人不利的災星、凶神惡靈。神與煞其實是一類事物，吉者為神，一般代表吉祥；凶者為煞，一般代表不吉。世用不同，神煞可能互變，此時為神，彼時為煞。這一切，都是符號表徵。

易學斷卦中的神煞主要有兩種。一種是六獸神煞，即青龍、朱雀、勾陳、螣蛇、白虎、玄武。另一種是星煞。

六獸起源於古人對天體的觀測。古人以為，地球上空有二十八星宿，這些星宿對地球影響巨大。為了更好地識別和把握其稟性和功能，古人以北極為中央，把二十八星宿劃分為四個區域，每個區域以一種動物來命名，於是就有了東方蒼龍、南方朱雀、西方白虎、北方玄武四象。東方為甲乙木，其色青，故六爻預測中甲乙日起青龍。《易冒》云：「青龍之神，左居東方，權司甲乙，而主文事，以木德為化。」[1] 木德仁慈，故青龍表徵慈善、忠誠，主福祿、喜慶之事。南方為丙丁火，其色火紅，故六爻預測中以丙丁日為朱雀，鳳凰來祥。《易冒》云：「朱雀舞端門，南方司丙丁，而主封章彈諫文學，以火為

---

1　[清] 程良玉：《易冒》卷一，《四庫全書存目叢書》子部第 67 冊，濟南：齊魯書社，1995 年，第 23 頁。

德。」[1] 火主炎，躁動，又主文明，故朱雀具有火德特徵，主口舌、雄辯、文印。西方為庚辛金，其色白，故六爻預測中以庚辛日為白虎起煞。《易冒》云：「白虎之殺，右居西文，權司庚辛，而制武備，以金德為刑。」[2] 西方屬金，金乃肅殺、砍伐德性，所以白虎為煞，主血光傷災，損傷、刀劍槍傷，主痛苦、疾病、喪亡孝服。北方為壬癸水，其色玄，故六爻預測中以壬癸日為玄武行功，其象形為龜蛇。在空間佈局中，龜與蛇組合而成一類靈物。《易冒》云：「元武從帝座，北方司壬癸，而主計謀籌畫機巧，以水為德。」[3] 玄武，一作元武。北方屬水，水主智，詭計多端，故玄武主曖昧、盜賊、淫亂、欺騙、虛偽等。四象圍繞中央北極而定，中央為戊己土，所以戊起勾陳，己出螣蛇。《易冒》云：「勾陳之象，實名麒麟，位居中央，權司戊日，蓋仁獸而以土德為治也……螣蛇之將，職附勾陳，遊巡於前，權司己日，蓋火神而配土德以行也。」[4] 勾陳主田土之爭，勾絆、糾纏、遲滯、頑固，牢獄之災。螣蛇主虛驚怪異之事，麻煩糾纏。

六神吉凶訣：

1　[清] 程良玉：《易冒》卷一，《四庫全書存目叢書》子部第 67 冊，濟南：齊魯書社，1995 年，第 23 頁。

2　同上。

3　同上。

4　同上。

青龍百事盡和諧，朱雀文書公事來，

勾陳剋世爭田土，螣蛇入夢十分乖。

白虎主多驚與厄，若言元武失其財。[1]


六神歌斷：


發動青龍萬事通，進財進祿福無窮；

臨凶遇殺都無礙，惟忌臨金與落空。

朱雀交重文印旺，殺神相並謾勞功；

是非口舌皆因此，持水臨空卻利公。

勾陳發動憂田土，累歲迍邅與殺逢；

持木落空方脫灑，縱饒安靜也迷蒙。

螣蛇發動憂縈絆，怪夢陰魔暗裡攻；

持木落空方始吉，交重旺相必然凶。

白虎交重喪事惡，官司病患必成凶；

持金坐世妨人口，遇火臨空便不同。

玄武動搖多暗昧，若臨旺相賊交攻；

土爻相並邪無犯，帶殺依然咎在躬。[2]


---

1 顧頡主編：《卜筮集成》第 1 冊，重慶：重慶出版社，1994 年，第 136 頁。

2 同上書，第 138 頁。

另一種是星煞。這是由星相學演變而來的一些星曜。星煞的種類多達上百種，但常用到的包括太乙貴人、祿神、驛馬、天喜等。《增刪卜易》云：「諸書星煞最多，予留心四十餘載，獨驗貴人、祿神、驛馬、天喜。」[1]

天乙貴人歌訣：甲戊庚牛羊，乙己鼠猴鄉，丙丁豬雞位，壬癸蛇兔藏，六辛逢馬虎，此是貴人方。

丑牛，未羊，子鼠，申猴，亥豬，酉雞，卯兔，巳蛇，午馬，寅虎，此為地支生肖。以上日辰天干，爻中若見相應地支，便是貴人星。譬如甲戊庚日占卦，爻中見丑未者即是天乙貴人。天乙貴人，多主貴人扶助，逢凶化吉。

祿神：甲日到寅，乙初到卯，丙戊祿在巳，丁己祿居午，庚祿居申，辛祿在酉。

假令甲日占，卦爻中見寅為祿；乙日占，卦爻中卯為祿。餘仿此。祿神，主進食祿，招財大喜。

驛馬：申子辰馬到寅，巳酉丑馬在亥，寅午戌馬居申，亥卯未馬在巳。

此以日辰地支論。假令申、子、辰日占，卦爻中見寅即為馬。餘仿此。驛馬，主奔馳不懈，勞累奔波。

天喜：春戌，夏丑，秋辰，冬未。

---

1 故宮博物院編：《增刪卜易·卜筮正宗》，海口：海南出版社，2000 年影印，第 76 頁。

此以四季論卦爻地支。假令春天三個月占，卦爻中見戌即為天喜。餘仿此。天喜，主喜慶之事。

神煞，是不是一種迷信呢？六爻斷卦中的神煞，存在於干支與卦爻中，並非是一種獨立存在的能夠主宰天地萬物、具有無上創造性和主宰能力的神靈。它本身正如青龍、白虎之類，只是一種象徵性名稱，具有符號代碼意義。斷卦時，若過分崇尚神煞的作用，而置卦爻的五行生剋於不顧，則易步入迷途。

在斷卦中，神煞大多是通過日與月的干支來定的。不同時間有不同神煞，各安其位，各司其職。《易冒》云：「蓋有司月司日之將，亦有司時司貴之神，權有重輕，而司日月者為要。」[1] 干支不同，同樣的卦爻具有不同的神煞。所以，神煞最終來源於干支，由干支所決定，只不過是干支作用的一種符號信息。

從發生作用的情況看，所占事物的信息必須與神煞相關，神煞才能發揮作用。具體事物與神煞之間有對應關係，才可取該神煞的信息之象來斷事；如果物、象之間不存在彼此對應的關係，則不能取該神煞的信息之象，否則就會張冠李戴，貽笑大方。比如，占斷產婦生育如何，如果貴人與祿神並臨，是

---

1　[清] 程良玉：《易冒》卷一，《四庫全書存目叢書》子部第 67 冊，濟南：齊魯書社，1995 年，第 22 頁。

不是二者都會發生作用呢？根據占測事物與神煞相關性原理，我們只能取天乙貴人之象來占斷，而不能用祿神。因為天乙貴人主幫扶，生育時能逢凶化吉；而祿神主食祿，與產婦臨盆生育無關。

　　從發生過程看，神煞本身並不直接顯示主宰作用，而是通過四象五行及其生剋關係來發揮功能。如甲日起卦，卦之初爻為青龍，並不是真的有青龍神靈降臨其位，而是甲日天干將五行之木的特性寓於該卦初爻，卦中的六親作用實是通過木與各爻五行的生剋沖合來顯示。《易冒》云：「青龍為仁，金剋木則吉而不吉。白虎為殺，火剋金則凶而不凶。元武為水智，能勝朱雀之爭。勾陳為土信，能制元武之狡。此復以物情推之而合也……故六神吉者，喜生、喜助、喜動、喜持世，六神凶者，宜制、宜化、宜散、宜逢空，復加於六親好惡而悔吝自昭。」[1]《卜筮正宗》稱：「易卦陰陽在變通，五行生剋妙無窮，時人須辨陰陽理，神煞休將定吉凶。」[2]

　　因而，神煞更多的是一種象徵，其「能指」的實質是作為一種干支五行與占測事物之間的信息關聯符號。神煞對卦象吉凶的評判，並不起決定作用。

---

1　[清] 程良玉：《易冒》卷一，《四庫全書存目叢書》子部第 67 冊，濟南：齊魯書社，第 24 頁。

2　故宮博物院編：《增刪卜易・卜筮正宗》，海口：海南出版社，2000 年影印，第 258 頁。

　　但也應看到，神煞符號的「所指」乃是宇宙天體萬物的運行作用規律。神煞這一理論的運用，牽涉廣泛的知識領域，它嘗試了一種宇宙天體與人事的結合、宇宙規律與卦爻的結合，體現了古人對天體的認知和自覺運用，反映了古人的智慧。

## 第三節　六親取用與生剋應期

### 58. 甚麼是六親？怎樣理解卦象與六親的配合？易學中的「六親」與社會倫理中的「六親」有何聯繫和區別？

　　六親，即父母、兄弟、子孫、官鬼、妻財、我。卦象與六親的配合，有兩種情形。

　　第一種是梅花易數中的六親配合。其法以八經卦論體用六親。所得主卦中不動爻之經卦為體卦、為「我」，主卦中有動爻之經卦，以及互卦、變卦中各經卦為用、為他。六親具體配法為，與體卦五行一致者為兄弟卦，生體卦五行者為父母卦，體卦五行生者為子孫卦，剋體卦五行者為官鬼卦。如占得《解》之《小過》，《解》卦上三爻構成的「震」卦為體卦，其五行屬木，為「我」；下三爻構成「坎」卦，其五行屬水，生體卦震卦所屬之木，故為父母。變卦《小過》中，上三爻構成震卦，其五行屬木，與體卦震卦之五行屬性相同，故為兄弟；下三爻構成「艮」卦，其五行屬土，為體卦「震」卦五行所剋者，故為妻財。

　　第二種是六爻納甲法中的六親配合。其法視本卦所屬本

宮五行為己，將占卦各爻與本宮五行論生、剋、比和而定名。
與本宮同五行者為兄弟，剋本宮五行者為官鬼，生本宮五行者
為父母，本宮五行所生者為子孫，本宮五行所剋者為妻財。
《火珠林》說：

> 卦定根源，六親為主；
>
> 爻究旁通，五行而取。

例如：

離宮：火風鼎           離宮：火水未濟
【本  卦】            【變  卦】

| 本卦 | | 變卦 | |
|---|---|---|---|
| ━━━━━ | 兄弟己巳火 | ━━━━━ | 兄弟己巳火　應 |
| ━━　━━ | 子孫己未土　應 | ━━　━━ | 子孫己未土 |
| ━━━━━ | 妻財己酉金 | ━━━━━ | 妻財己酉金 |
| ━━━━━ | 妻財辛酉金 | ━━　━━ | 兄弟戊午火　世 |
| ━━━━━ | 官鬼辛亥水　世 | ━━━━━ | 子孫戊辰土 |
| ━━　━━ | 子孫辛丑土 | ━━　━━ | 父母戊寅木 |

此例占得鼎卦之未濟卦。在「八宮卦」系統中，鼎卦屬離
宮，本身五行為火。本卦、變卦納上干支後，將各爻地支（天
干不用）五行與本宮五行火相較而得出各爻六親。值得提醒的
是，變卦各爻六親，是按照本卦所屬宮卦而論，非按變卦本身
所屬宮卦來論。

六親是用神取用的根基。確定用神，即是確定占測對象

屬於六親中哪一類。《卜筮正宗》載：凡占祖父母、父母、師長、家主、伯叔、姑姨，與「我」父母同輩，或與父母年若之親友，及牆城、宅舍、舟車、衣服、雨具、求雨、綢布、氈貨、章奏、文章、館室，俱以父母爻為用神。凡占功名、官府、雷電、鬼神、丈夫、夫之兄弟同輩，及夫之相與朋友、亂臣、盜賊、邪祟、憂疑、病症、屍首、逆風，俱以官鬼爻為用神。凡占兄弟、姊妹、姊妹丈、妻之兄弟、世兄弟、結盟同寅，及知交朋友，俱以兄弟爻為用神。凡占嫂與弟婦、妻妾，及友人之妻妾婢僕，物價、錢財、珠寶、金銀、倉庫、錢糧、什物、器皿，及問天時晴明，俱以妻財爻為用神。凡占兒、女、孫、侄、女婿、門生、忠臣、良將、藥材、僧道、六畜、禽鳥、順風、解憂避禍，及問天時、日月星斗，俱以子孫爻為用神。[1]

　　由此可見，定六親的目的之一，是為了方便選取用神，以確定斷卦的立足點。六親的實質是依據五行的相生相剋推廣至人事所形成的人事生剋整體。

　　社會倫理關係也存在六親說法。如晉杜預注《左傳》之六親為「父子、兄弟、姑姊、甥舅、婚媾、姻亞」[2]。《漢書》以父、母、兄、弟、妻、子為六親。王弼注《老子》「六親」為「父子、

---

1　故宮博物院編：《增刪卜易·卜筮正宗》，海口：海南出版社，2000 年影印，第 274 頁。

2　楊伯峻編著：《春秋左傳注》（修訂本），北京：中華書局，1990 年，第 1458 頁。

兄弟、夫婦也」[1]。

易學斷卦中的「六親」與這種社會倫理中的六親有一定的聯繫。易學六親取法於倫理六親，二者都着眼於人世安排。但二者又有巨大的差別。從數量上看，易學中的六親比社會倫理中的六親多了「官鬼」一項。從思想內容上看，社會倫理中的六親，表徵一定血緣關係或姻親關係的人群，是真實的生命個體。易學六親着重體現的則是人事中一種整體的生剋關係，是對社會人事的抽象歸納，具有一定的符號象徵意義，其主體可以為生命個體，也可以是錢財等非生命之事物。

### 59. 甚麼是生剋應期？怎樣掌握生剋應期要領？

應期，即預測應驗的時間。應期有多種，有生剋應期、旬空應期和逢合應期等。

梅花易數法的生剋應期，是根據體卦與用卦的旺衰和五行生剋關係來定應期。其要點可歸納為四句：旺體遇生遇比都吉利，得時當令即是吉。旺體遇剋遇泄也無妨，除去剋泄亦為吉。衰體遇剋遇泄都非利，生起剋泄凶即起。衰體遇生遇比不全吉，旺來生吉衰比凶。每句的前半句為體卦自身的旺衰和承受的用卦生剋壓力狀態，後半句為應期條件和結果。生，為生

---

1　[魏] 王弼著，樓宇烈校釋：《王弼集校釋》，北京：中華書局，1980 年，第43 頁。

體卦五行者；比，與體卦五行相同者；剋，為剋體卦五行者；泄，體卦五行所生者。我們以第四句為例進行應期解析，體卦無日建、月建時令生助或遭日建、月建時令剋制，體黨少，則本身處於衰弱狀態，此時逢用卦生或比肩幫扶，那麼占測結果則會有吉有凶。應吉時的應期為再逢生扶體卦的日建或月建，應凶時的應期為再逢剋泄體卦的日建或月建。

六爻納甲法占卦以世爻和用神為中心，合原神（生扶用神五行者）為一組，為我；仇神（用神五行所剋者）、忌神（剋用神五行者）為一組，為他。他我雙方通過地支間的生剋沖合產生作用，我勝他則吉，他勝我則凶。六爻納甲法的生剋應期，就是基於他我地支間的旺衰、生剋關係來判斷占測結局的應驗時間。

掌握六爻納甲法生剋應期的要領在於：首先，把握他我雙方的旺衰程度、力量對比。他我雙方的力量格局，關鍵在日月建、動爻對於他我力量的抑扶關係。受日月建和動爻、變爻生扶的一方力量增強，受日月建和動爻、變爻抑制的一方力量減弱。其次，具體分析生剋他我、改變他我雙方力量格局的爻或日辰，即是所測之事物的應期。此爻休囚或安靜，則值日生旺之時為應事之期。此爻化空，則出空之時為應期。此爻入墓化墓，待沖墓之時為應期。此爻逢合，待沖開之時為應期。此爻逢沖，待合起之時為應期。

例如：占貨物交易如何，搖卦得《同人》之《家人》卦。

公曆時間：2014 年 7 月 15 日 10 時 0 分；農曆時間：甲

午年六月十九日巳時。

干支：甲午年　辛未月　丁亥日　乙巳時
旬空：午未
神煞：驛馬一巳　桃花一子　日祿一午　貴人一酉，亥
離宮：天火同人（歸魂）　　　　　巽宮：風火家人
六神　【本　卦】　　　　　　　　【變　卦】
青龍　━━━━━　子孫壬戌土　應　　━━━━━　父母辛卯木
玄武　━━━━━　妻財壬申金　　　　━━━━━　兄弟辛巳火　應
白虎　━━━━━　兄弟壬午火　　　　━━　━━　子孫辛未土
螣蛇　━━　━━　官鬼己亥水　世　　━━━━━　官鬼己亥水
勾陳　━━　━━　子孫己丑土　　　　━━　━━　子孫己丑土　世
朱雀　━━━━━　父母己卯木　　　　━━━━━　父母己卯木

此例以世爻為己，妻財申金爻為交易，為用神。用神財爻生世為有錢可賺。但賺錢多少，何時可賺呢？用神旺相，則錢多進財；用神休囚，則錢少或損財。從生扶用神角度看，雖妻財申金受月建未月所生，但死於日辰，又受兄弟午火發動克制，說明此月有所賺，然不多；妻財不旺，待值申月當旺必交易頗豐，錢財大進。從剋用神即忌神角度看，兄弟午火為忌神，生旺發動但處旬空中，一旦它出了甲申旬，逢值午日當旺，定要克制申金，此日交易大虧，損錢財。

## 60. 甚麼是旬空應期與逢合應期？其要領何在？我們今天應該如何認識古人這種預測模式？

旬空應期和逢合應期為六爻納甲法所用。旬空，以十天干

一個輪迴為一旬，配以十二地支，每一旬有兩個地支無天干相配，此二地支在此甲旬中即為旬空。假如甲子日至癸酉十日為一旬，旬內無戌亥，故日甲子旬中戌亥空。六甲旬空起例：甲子旬中戌亥空，甲寅旬中子丑空，甲辰旬中寅卯空，甲午旬中辰巳空，甲申旬中午未空，甲戌旬中申酉空。

　　旬空，有不實、虛假、死亡等意味。落旬空之爻，好比處真空之中，既不能生剋他爻，也不受他爻生剋。然旬空之爻出空之時，往往能發揮其生剋作用，左右占測結局。此出空之時即旬空應期。

　　其要領，首先是區分旬空是真空還是假空。假空是本身還有生剋能力，只是暫時處旬空，無法發揮作用而已。真空是本身無生剋能力，即使「出空」了也不能左右結局。《卜筮正宗》云：「如旺相旬空，或休囚發動，日辰生扶，動爻生扶，動爻變空，伏而旺相，此等旬空到底有用……如休囚安靜，或日辰剋，動爻剋，伏而被剋，靜逢月破，值此旬空者，謂之真空，到底空矣！」[1]旬空之爻在受日建與月建生扶、其他動爻生扶和本身發動三種情形下是假空，在本身休囚安靜無生扶、受日月建沖剋和受其他動爻沖剋三種情形下為真空。其次是有用之空的應期在於旬空之爻出空、填空、沖空之時。出空，

---

1　故宮博物院編：《增刪卜易・卜筮正宗》，海口：海南出版社，2000年影印，第277頁。

旬空為一旬之內，過了此旬即是出空。填空，爻出旬空後逢值日之時。如占卦時為甲辰旬寅卯空，逢旬後逢寅卯時便為填空之時。沖空，日辰沖旬空之爻。若申酉空，逢寅卯日沖起應驗。具體來說，動空生旺，出旬之時；動空逢合，待出空逢沖之時；動空逢沖，待值日之時；靜空生旺，待出空逢值或逢沖之時；靜空逢合，待出空逢沖之時；靜空逢沖，待出空逢合之時；動空入墓，待出空逢沖或沖墓之時；動而化空，待動爻出空逢值之時應事等。最後是斷旬空應期還必須注意時間點的長短問題。常有此問：出空之值日應事，但到底是哪年哪月哪日的值日呢？一般來說，這要求根據具體所測之事來定。若測月內事，則於當月內尋出空沖空之日；若測當日事，則於時辰上來推旬空，尋出空沖空之時辰；若測流年事，則在月上推旬空，於年內十二月尋出空沖空之月應期；若測終身運氣，則按年推斷旬空，於年上尋出空、沖空之年應期。貴在變通。

逢合應期，占測時利用六爻間地支的三合、六合作用關係推斷人事進展的時間。三合、六合，其實質是通過合的方式，改變敵我雙方格局的能量，從而左右預測結局。

把握逢合應期的要領在於：先認準改變雙方能量格局的三合或六合的合點。敵我雙方能量主要來源於日建月建和卦中動爻，合點也就存在於敵我雙方與日建月建和卦中動爻的合處。具體來說，以世爻、用神為中心，查看世爻、用神與其他動爻、日建月建的合處是否合起用神，合為原神、用神者吉；

以忌神為中心，查看忌神所在爻與動爻及日建月建逢合關係是否合起忌神，合起忌神者凶。次看三合六合成局與否，以斷應期。預測時若卦中用神動而成三合、六合局，或臨日、月三合六合全者，當日應之吉凶。三合、六合局有一爻沖破者，必須逢合之期才應吉凶。如有一爻靜兩爻動者，待靜爻值日應吉凶。合局者，一爻靜而逢空，或動而化空，待出空之期應吉凶。如空而逢合，靜而逢合，必待沖合之期應吉凶。三合、六合者，或與日、月合者，必待沖合之期應吉凶。如合局入墓或動而化墓，必待沖墓之期應吉凶。如三合、六合局逢絕或一爻絕者，必待絕爻生旺之期應吉凶。

　　占卦預測，向來因其預測之玄乎，不為常人所知，而頗具神秘性，亦導致不被人正視，被推入迷信之途。人們常問，占卦所得卦象為甚麼能用以占測人或事物呢？其實道理很簡單。六十四卦符號是對天地萬物的整體模擬和象徵，而天地萬物包括人在內有着共源性和宇宙全息性，宇宙萬物與人總是處在一定的時空之中並呈現某種作用關係、態勢。卦爻只是占測之人與事物關係、態勢的信息符號體現，故而能通過解讀這種符號來斷其結果。總的來說，這種占卦的方式，是以卦爻和干支作為符號來象徵處於一定時間空間的人及所測事物，並通過卦爻和干支的陰陽五行生剋關係來判定吉凶。占卦預測的思想基礎和依據，在於天地人三才之道及天人本一不二的思想。

　　當然，這種占卦的理論也有着極大的局限性。我們知道，

占卦理論是對萬事萬物進行類分和經驗總結基礎上抽象出來而形成的卦爻、干支作用關係理論。這種理論帶有抽象性和模糊性，並不能詳細具體地反映複雜多變的事物及其信息。另外，占卦斷卦是對卦爻、干支的符號詮釋，受到詮釋者個人知識、技能、素養等因素的影響，詮釋會有差異，從而影響斷卦結果。正因如此，我們應辯證地看待易學占卦，一方面要看到它某種程度上可為人們提供決策行動的參考，另一方面也絕不能誇大其作用。

責任編輯　梅　林
書籍設計　彭若東
責任校對　江蓉甬
排　　版　肖　霞
印　　務　馮政光


書　　名　周易入門 150 問（上）

叢 書 名　國學基礎

主　　編　詹石窗

出　　版　香港中和出版有限公司
　　　　　Hong Kong Open Page Publishing Co., Ltd.
　　　　　香港北角英皇道 499 號北角工業大廈 18 樓
　　　　　http://www.hkopenpage.com
　　　　　http://www.facebook.com/hkopenpage
　　　　　http://weibo.com/hkopenpage
　　　　　Email: info@hkopenpage.com

香港發行　香港聯合書刊物流有限公司
　　　　　香港新界荃灣德士古道 220-248 號荃灣工業中心 16 樓

印　　刷　陽光（彩美）印刷有限公司
　　　　　香港柴灣祥利街 7 號萬峯工業大廈 11 樓 B15 室

版　　次　2022 年 8 月香港第 1 版第 1 次印刷

規　　格　32 開（147mm×210mm）240 面

國際書號　ISBN 978-988-8812-29-5

本書由北京大學出版社有限公司授權本公司在中國內地以外地區出版發行。